Dans cette collection paraissent les romans des meilleurs auteurs français et étrangers:

EXBRAYAT
RAY LASUYE
FRANCIS DIDELOT
JOHN CASSELS
R. L. GOLDMAN
MICHAEL HALLIDAY
RUFUS KING
MICHAEL LOGGAN
E. C. R. LORAC
STEPEHN RANSOME
COLIN ROBERTSON
DOROTHY SAYERS
PATRICIA WENTWORTH
JOHN STEPHEN STRANGE
GEORGE BELLAIRS etc.

Envoi du catalogue complet sur demande.

Mr. PARKER PYNE
PROFESSEUR DE BONHEUR

NOTE DE L'ÉDITEUR

AGATHA CHRISTIE

Mr. PARKER PYNE
PROFESSEUR DE BONHEUR

(Parker Pyne investigates)

Traduit de l'anglais par Miriam Dou

DOUZE NOUVELLES

PARIS
LIBRAIRIE DES CHAMPS-ELYSÉES
17, rue de Marignan

Etes-vous heureux?
Dans le cas contraire consultez
Mr. Parker Pyne, 17, Richmond Street.
        (Annonce parue dans *Le Times*.)

L'ÉPOUSE DÉLAISSÉE
  The case of the forsaken wife
L'ORACLE DE DELPHES
  The oracle of Delphe
L'EMPLOYÉE DE BUREAU
  The case of the Office Clark
LA DAME DÉSOLÉE
  The case of the distressed lady
MORT SUR LE NIL
  Death on the Nile
LA DAME RICHE
  The case of the rich woman
LE MARI MÉCONTENT
  The case of the dissatisfied husband
LA PERLE DE GRAND PRIX
  The valuable pearl
LES PORTES DE BAGDAD
  The gates of Bagdad
AVEZ-VOUS TOUT CE QUE VOUS DÉSIREZ?
  Have you all you wish for?
L'OFFICIER EN RETRAITE
  The case of the retired officer
LA MAISON DE CHIRAZ
  The house Chiraz

L'ÉPOUSE DÉLAISSÉE

On entendit quatre imprécations, puis une voix irritée s'étonna qu'on ne pût laisser un chapeau à sa place, une porte claqua... Mr. Packington venait de partir pour attraper le train de 8 h 45 à destination de la Cité, à Londres. Sa femme, très rouge, les lèvres serrées, était assise à la table du premier déjeuner. Elle ne pleurait pas, pour la simple raison qu'une violente colère venait de remplacer son chagrin.

— Je ne puis plus supporter cette situation! Non! C'est impossible!

Mrs. Packington réfléchit un instant puis murmura:

— L'effrontée! La petite coquine! Comment George peut-il se montrer aussi bête!

Mais sa colère s'éteignit et son chagrin reprit le dessus. Ses yeux s'emplirent de larmes qui coulèrent sur ses joues fanées et elle gémit:

— A quoi sert de dire que j'en ai assez puisque je ne sais que faire?

Elle se jugeait abandonnée, lamentable... Alors, elle saisit le journal et relut, en première page, une annonce qui l'avait déjà frappée:

Etes-vous heureux? Dans le cas contraire, consultez Mr. Parker Pyne, 17, Richmond Street.

— C'est stupide, absolument stupide, déclara Mrs. Packington. Mais, en somme, je puis essayer...

C'est pourquoi, à onze heures, elle entra, quelque peu nerveuse dans le bureau du détective. En regardant celui-ci, elle se sentit rassurée: Mr. Parker Pyne était robuste pour ne pas dire gros; il avait une belle tête chauve, de grosses lunettes et des yeux intelligents.

— Veuillez vous asseoir, dit-il. Je pense que c'est mon annonce qui vous amène?

— Oui..., se contenta de répondre Mrs. Packington.

— Donc, vous n'êtes pas heureuse. Peu de personnes le sont et vous seriez fort étonnée si je vous en indiquais le nombre.

— Vraiment? dit-elle. Mais le malheur d'autrui l'intéressait peu.

— Je sais que cela vous laisse indifférente; il n'en est pas de même pour moi: voyez-vous, pendant trente-cinq années de mon existence j'ai établi des statistiques dans un bureau du gouvernement. Je suis maintenant à la retraite et j'ai eu l'idée de faire bon usage de mon expé-

rience. La question est fort simple car les chagrins ont cinq causes principales, pas davantage. Or, si l'on connaît la cause d'une maladie,
il doit être facile d'y remédier. Je me mets à la
place du médecin qui diagnostique ce qui fait
souffrir son client et lui indique un traitement.
Certes, il y a des cas incurables où j'avoue mon
impuissance. Par contre, Madame, je puis vous
affirmer que si j'entreprends un traitement, le
succès est à peu près certain.

Etait-ce possible? Y avait-il là un attrape-
nigaud ou, au contraire... Mrs. Packington fixa
sur son interlocuteur un regard plein d'espoir.

— Je vais porter un diagnostic à votre sujet,
reprit Parker Pyne en souriant. Il s'agit de votre
ménage. Votre existence conjugale a été heureuse et je pense que votre mari a réussi dans
ses affaires... mais je suppose qu'il y a une
jeune personne dans vos ennuis... peut-être fait-
elle partie du personnel de bureau?

— Oui, c'est une dactylo, une petite intri-
gante peinte, aux lèvres trop rouges, aux bas
de soie, aux boucles blondes...

Mrs. Packington parlait maintenant d'abondance et Parker Pyne dit doucement:

— Je suis sûr que votre mari affirme n'avoir
rien à se reprocher?

— Ce sont ses propres paroles!

— Je devine ses réflexions: pourquoi ne
pourrait-il pas éprouver une amitié parfaite-

ment honnête pour cette enfant, mettre un peu de joie, de distraction dans sa morne existence? Elle n'en a jamais!

Mrs. Packington acquiesça vivement. Il ajouta:

— Ce sont des prétextes! Il l'emmène canoter. J'aime beaucoup cela mais depuis cinq ou six ans mon mari déclare que cela l'empêche de jouer au golf! Toutefois, le golf ne compte pas quand il s'agit *d'elle*. J'aime énormément le théâtre; George se dit trop fatigué pour sortir le soir. Maintenant il emmène cette fille *danser* et rentre à trois heures du matin, tout en déplorant qu'une femme soit ridiculement jalouse sans cause?

Mrs. Packington fit un signe affirmatif.

— Oui... mais comment le savez-vous? ajouta-t-elle vivement.

— Grâce aux statistiques, répondit son interlocuteur avec calme.

— Je suis si malheureuse! J'ai toujours été une femme dévouée et me suis tuée de travail quand nous étions jeunes; j'ai contribué à son succès et n'ai jamais regardé un autre homme. Je tiens bien sa maison, ses vêtements sont en parfait état, ses repas sont soignés... et à présent que nous avons une bonne situation, que nous pourrions sortir un peu, voilà ce qui m'arrive!

Mr. Parker Pyne répondit tristement:

— Je comprends fort bien.

— Mais... pouvez-vous m'aider?

— Certes, chère Madame. Je connais le traitement.

— Que dois-je faire?

— Vous fier entièrement à moi... et cela vous coûtera deux cents guinées [1].

— Deux cents guinées!

— Oui. Vous avez les moyens de les débourser et il vous en coûterait autant pour une opération. Or, le bonheur a autant de valeur que la santé.

— Je vous paierai plus tard, je suppose?

— Non. Vous me paierez d'avance.

Mrs. Packington se leva.

— Je crains de ne pouvoir...

— Acheter chat en poche? répondit Parker gaiement. Peut-être avez-vous raison car la somme est forte. Il vous faut me faire confiance et courir votre chance. Telles sont mes conditions.

— Deux cents guinées!

— Exactement. Au revoir, Madame. Prévenez-moi si vous acceptez.

Tout souriant, Parker serra la main de sa visiteuse et, quand elle fut partie, appuya sur un bouton. Une jeune personne d'aspect sévère se montra.

[1] La guinée représente 21 shillings (note de la traductrice).

— Préparez un dossier, je vous prie, Miss
Lemon. Puis dites à Claude que je vais sans
doute avoir bientôt besoin de lui.

— Pour une nouvelle cliente?

— Oui, pour l'instant elle regimbe, mais
elle reviendra. Cet après-midi, probablement,
vers quatre heures. Faites une fiche.

— Tarif A?

— Certes, Tarif A. Il est intéressant de constater que chaque personne s'imagine que son
cas est unique. Donc, prévenez Claude, mais
recommandez-lui de ne pas avoir un aspect
excentrique. Pas de parfum et les cheveux cou-
pés courts.

Il était quatre heures un quart lorsque
Mrs. Packington reparut. Elle sortit un carnet
de chèques de son sac, rédigea une formule et
la tendit à Parker qui lui remit un reçu.

— Et maintenant? interrogea-t-elle.

Toujours souriant, il répondit:

— Rentrez chez vous. Demain matin, par le
premier courrier, vous recevrez des instructions
auxquelles vous voudrez bien vous conformer.

Mrs. Packington regagna sa maison dans un
état d'agréable euphorie. Son mari revint plein
de combativité, prêt à défendre ses droits si la
scène du matin se reproduisait. Toutefois, il fut
soulagé de constater que sa femme paraissait
très calme et même songeuse.

Il écouta la radio tout en se demandant si la

chère petite Nancy l'autoriserait à lui offrir un manteau de fourrure. Elle était très fière et il ne voulait pas l'offenser. Pourtant, elle s'était plainte du froid. Sa mince veste de tweed était un article bon marché qui ne la protégeait guère. Peut-être pourrait-il présenter son cadeau d'une manière qui n'aurait rien de blessant... Il désirait lui consacrer bientôt une autre soirée, car emmener une jeune fille comme elle dans un restaurant chic était un plaisir. Il constatait que bien des hommes l'enviaient! Elle était vraiment ravissante. Et il lui plaisait! Ne lui avait-elle pas dit combien elle le trouvait jeune!

Packington leva les yeux et croisa le regard de sa femme; il se sentit coupable envers elle ce qui le vexa. Maria avait l'esprit par trop étroit et soupçonneux! Elle ne lui permettait pas la moindre détente! Il éteignit la radio et alla se coucher.

Le lendemain matin, Mrs. Packington reçut deux lettres inattendues: la première lui confirmait un rendez-vous dans un salon de coiffure renommé. La seconde lui indiquait l'heure où une grande couturière l'attendrait. Enfin, une troisième, signée par Mr. Parker Pyne, l'invitait à déjeuner au *Ritz* ce jour-là.

Mr. Packington annonça qu'il ne rentrerait sans doute pas dîner car il devait voir un client important. Sa femme se contenta de répondre par un signe vague et il partit en se félicitant d'avoir échappé à l'orage.

L'esthéticienne se montra formelle: Pourquoi Madame s'était-elle négligée ainsi? Elle aurait dû soigner sa beauté depuis longtemps! Toutefois, il n'était pas trop tard.

Sa figure fut massée, épilée, passée à la vapeur. On lui appliqua un masque de boue puis diverses crèmes et enfin de la poudre et du rouge. Puis, on lui tendit un miroir et elle pensa: « Je crois vraiment que j'ai l'air plus jeune. »

Sa séance chez la couturière fut tout aussi passionnante; elle en sortit avec l'impression qu'elle était élégante et dernier cri.

Lorsqu'elle entra au *Ritz* à l'heure indiquée, Mr. Parker Pyne, fort bien habillé, l'attendait.

— Charmante! déclara-t-il en l'enveloppant d'un regard connaisseur. Je me suis permis de commander pour vous une « dame blanche ».

Mrs. Packington qui n'avait pourtant pas pris l'habitude de boire un cocktail, ne protesta pas et, tout en dégustant l'attrayant breuvage, écouta son mentor:

— Il faut que votre mari soit stupéfait! Vous comprenez: stupéfait! Pour obtenir ce résultat, je vais vous présenter un de mes jeunes amis et vous déjeunerez avec lui.

Au même instant, un beau garçon approcha en regardant de tous les côtés; ayant aperçu Parker Pyne, il vint vers lui d'un pas souple.

— Mr. Claude Luttrell, Mrs. Packington, présenta le détective.

Le nouveau venu devait à peine atteindre la trentaine; il était souriant, admirablement vêtu et fort séduisant.

— Heureux de vous connaître, murmura-t-il.

Quelques minutes plus tard, il était assis en face de Mrs. Packington à une petite table, et parlait agréablement de Paris et de la Côte d'Azur. Il demanda à sa voisine si elle aimait la danse; elle répondit affirmativement mais ajouta qu'elle n'avait plus guère l'occasion de danser, son mari n'aimant pas sortir le soir.

— Voyons, dit Claude Luttrell en souriant et en montrant des dents étincelantes, il ne peut être assez égoïste pour vous empêcher de vous distraire. De nos jours, les femmes n'admettent plus la jalousie.

Mrs. Packington fut sur le point de répondre qu'il ne s'agissait pas de jalousie mais se tut. En somme, cette idée ne lui était pas désagréable.

Le jeune homme fit l'éloge des clubs de danse et ils convinrent de se retrouver le lendemain soir, au *Petit Archange*.

Mrs. Packington éprouvait quelque embarras à la pensée d'en parler à George, de crainte qu'il ne s'étonnât et ne la jugeât ridicule; mais elle fut dispensée de ce souci. Le matin, elle n'avait rien osé dire et dès le début de l'après-midi, le téléphone lui apprit que son mari dînait en ville.

La soirée fut charmante. Dans sa jeunesse, Mrs. Packington avait été une excellente danseuse et, grâce à l'habileté de Luttrell, elle ne tarda pas à exécuter les pas à la mode. Il lui fit compliment de sa robe et de sa coiffure. (Elle avait eu rendez-vous le matin avec un coiffeur en renom.) En lui disant au revoir, Claude lui baisa la main. Mrs. Packington n'avait pas passé d'aussi agréables heures depuis des années.

Dix jours remarquables suivirent. Mrs. Packington déjeuna, prit le thé, dîna, dansa, soupa avec Luttrell qui lui raconta sa triste enfance; elle apprit comment son père avait perdu sa fortune, comment sa fiancée l'avait abandonnée et pourquoi il se méfiait des femmes en général.

Le onzième jour, ils dansaient à *L'Amiral Rouge* et Mrs. Packington fut la première à voir son mari qui était le cavalier de sa dactylo.

— Holà, George, lui dit-elle gaiement quand leurs regards se croisèrent. Elle constata non sans gaieté qu'il rougissait et que sa stupeur se teintait d'embarras. Elle se sentit maîtresse de la situation. Pauvre vieux George! Une fois assise elle ne le perdit pas de vue. Qu'il était gros et chauve et comme il sautillait, à la manière en honneur vingt ans auparavant! Il

tentait désespérément de paraître jeune et la
pauvre fille qu'il accompagnait voulait avoir
l'air de s'amuser... mais comme elle semblait
excédée!

Mrs. Packington pensa que sa situation était
beaucoup plus enviable! Elle regarda Claude
qui, plein de tact, se taisait et qui la comprenait
si bien! Leurs yeux se rencontrèrent; ceux du
jeune homme, si mélancoliques, se posaient
tendrement sur les siens.

— Voulez-vous encore danser? murmura-t-il.

Ils s'enlacèrent; c'était divin! Mrs. Packington se rendait compte que son mari la suivait
d'un regard injecté de sang; elle se souvint que
Mr. Parker voulait exciter la jalousie de George...
à présent, elle n'y tenait plus. Pourquoi peiner
le pauvre homme alors qu'elle était si heureuse!

Packington était rentré depuis une heure
quand sa femme arriva. Il était déconcerté et ne
savait que dire.

— Hum! murmura-t-il. Te voilà!

Elle laissa tomber la cape de soirée qui lui
avait coûté quarante guinées le matin même et
répondit en souriant:

— Oui, me voilà.

George toussota.

— Euh... j'ai été surpris de te rencontrer.

— N'est-ce pas?

— Je... j'avais pensé que ce serait charité
d'emmener cette petite s'amuser... Elle vient
d'avoir beaucoup d'ennuis dans sa famille. J'ai
eu l'idée... bref, j'ai agi par bonté.

Mrs. Packington fit un signe affirmatif. Pauvre vieux George!

— Quel est donc le type qui t'accompagnait?
Je ne crois pas le connaître.

— Il s'appelle Luttrell, Claude Luttrell.

— Comment le connais-tu?

— Quelqu'un me l'a présenté, répondit Mrs.
Packington sans insister.

— C'est assez curieux que tu ailles danser...
à ton âge. Il ne faut pas te rendre ridicule, ma
chère.

Sa femme sourit; elle se sentait bien trop
indulgente envers l'humanité pour répondre du
tac au tac et elle se contenta de dire doucement:

— Un changement est toujours agréable.

— Sois prudente; il y a beaucoup de gigolos
et de femmes d'un certain âge qui perdent la
tête. Je te préviens simplement car je ne voudrais pas que tu agisses inconsidérément.

— Je trouve la danse excellente pour la santé.

— Hum... peut-être.

— Je suppose qu'il en est de même pour toi.
Il faut surtout être heureux. Je me souviens que
tu le disais, il y a une dizaine de jours au petit
déjeuner.

Son mari la dévisagea mais elle ne semblait pas ironique. Elle bâilla.

— Il faut que je me couche... A propos, George. J'ai été très dépensière récemment et tu vas recevoir de grosses notes. Je pense que cela ne t'ennuie pas?

— Des notes?

— Oui. Des robes, des massages, des soins capillaires... J'ai vraiment été prodigue... mais je sais que tu ne m'en voudras pas.

Elle s'engagea dans l'escalier, laissant son mari interdit. Elle s'était montrée tout à fait gentille au sujet de leur rencontre au dancing et n'avait pas paru froissée... mais quel dommage que Maria, ce modèle d'économie, se soit mise à tant dépenser!

— Ah! les femmes! George Packington hocha la tête. Les frères de la jeune Nancy avaient fait des bêtises... Il avait été content de l'aider... Toutefois... et juste en ce moment, la Bourse était mauvaise...

Packington soupira et monta lentement.

Il arrive parfois qu'une phrase négligée revienne à la mémoire. Ce ne fut pas avant le lendemain matin que certains mots de son mari frappèrent Mrs. Packington: « Gigolos. Femmes d'un certain âge qui perdent la tête... »

Elle était courageuse et envisagea nettement son cas. Claude était-il un gigolo? Peut-être... cependant, les gigolos se faisaient payer tandis

que Luttrell acquittait toutes leurs dépenses...
Sans doute, mais c'était Parker Pyne qui lui
fournissait l'argent... sur les deux cents guinées
qu'elle lui avait remises.

N'était-elle donc qu'une vieille sotte et Lut-
trel se moquait-il d'elle derrière son dos?
Mrs. Packington rougit à cette idée!

Et après? N'aurait-elle pas dû lui faire un
cadeau? Un étui à cigarettes en or, par exemple... Poussée par un sentiment étrange, elle se
rendit tout droit chez un grand bijoutier, choisit
et paya l'étui.

Elle devait retrouver Claude au *Claridge*
pour déjeuner. Pendant qu'ils prenaient le café,
elle sortit le paquet de son sac et murmura:

— Voici un petit cadeau.

Luttrell leva la tête, fronça les sourcils et
demanda:

— Pour moi?

— Oui... j'espère qu'il vous plaira.

Il referma la main sur le paquet et le fit glisser rapidement sur la table en disant:

— Pourquoi me donnez-vous cela? Je n'en
veux pas! Reprenez-le tout de suite!

Il était furieux et ses yeux noirs étincelaient.
Elle murmura:

— Je suis désolée... et remit l'étui dans son
sac.

Mais l'atmosphère demeura tendue.

Le lendemain matin, Luttrell téléphona à Mrs. Packington:

— Il faut que je vous parle. Puis-je venir chez vous dans l'après-midi?

Elle lui répondit qu'elle l'attendrait à trois heures.

Quand il arriva, il était pâle et tendu; ils échangèrent quelques mots, mais la contrainte était de plus en plus forte. Soudain, Luttrell se dressa et fit face à Mrs. Packington:

— Pour qui me prenez-vous? Je suis venu vous le demander. Nous avons été bons amis... mais cependant, vous me considérez comme un gigolo, un individu qui vit des femmes. N'est-il pas vrai?

— Non, non.

Il écarta sa dénégation d'un geste.

— Vous le croyez? C'est exact et je suis ici pour vous l'avouer. J'avais reçu des ordres: vous faire sortir, vous distraire, vous faire la cour, vous détacher de votre mari! Tel était mon travail. Pas très honorable, n'est-ce pas?

— Pourquoi m'en parlez-vous?

— Parce que j'en ai assez! Je ne puis continuer avec vous. Vous ne ressemblez pas aux autres. Je pourrais avoir confiance en une femme telle que vous et l'adorer... Vous allez penser que je joue toujours mon rôle... Je vais vous prouver que non: je vais partir... à cause de vous, devenir un homme au lieu d'un être méprisable...

Il la prit dans ses bras, la serra puis s'écarta:

— Adieu. J'ai toujours été fainéant; mais je jure que je vais changer. Vous souvenez-vous m'avoir dit un jour que vous aimiez lire les petites annonces personnelles? Chaque année à la même date qu'aujourd'hui, vous y trouverez un message de moi, vous assurant que je me souviens et que je réussis. Vous comprendrez alors ce que vous avez été à mes yeux. Encore un mot: je n'ai rien accepté de vous, mais je veux vous laisser un objet qui m'ait appartenu... Il ôta de son doigt une bague chevalière en or et ajouta: elle était à ma mère et il me plairait que vous la gardiez. Au revoir.

Il sortit laissant Mrs. Packington stupéfaite, la bague au creux de la main.

George Packington rentra de bonne heure; il trouva sa femme assise près du feu, le regard lointain. Elle lui parla aimablement mais d'un air préoccupé.

— Ecoute, Maria, lui dit-il tout à coup, au sujet de cette jeune fille...

— Quoi donc, mon ami?

— Je... Je n'ai jamais eu l'intention de te peiner... il n'y a rien là de sérieux.

— J'en suis sûre et j'ai été sotte. Emmène-la danser tant que tu voudras si cela te distrait.

Ces mots eussent dû enchanter Packington, bien au contraire, il en fut vexé. Comment pouvait-on se réjouir de faire sortir une femme

quand l'épouse légitime y poussait? Vraiment,
ce n'était pas convenable! Le sentiment d'être
un homme affranchi qui jouait avec le feu,
disparut comme par enchantement... George
éprouva une grande lassitude et se souvint
d'avoir trop dépensé d'argent: cette gamine était
vraiment intéressée... Il proposa timidement:

— Nous pourrions peut-être faire un petit
voyage, Maria?

— Oh! je n'y pense guère; je suis parfaitement heureuse.

— Pourtant, j'aimerais t'emmener... nous
pourrions aller sur la Côte d'Azur.

Mrs. Packington sourit. Pauvre vieux George!
Elle l'aimait bien et le trouvait attendrissant,
car sa vie n'était pas, comme la sienne, embellie
par le souvenir d'un sacrifice secret! Son sourire devint plus affectueux.

— Ce serait délicieux, mon ami.

Mr. Parker Pyne causait avec Miss Lemon.

— A combien se montent les frais dans cette
affaire?

— Cent deux livres, quatorze shillings et six
pence.

La porte du bureau s'ouvrit et Claude Luttrell
parut, l'air triste.

— Bonjour Claude, lui dit Parker. Tout s'est-
il bien passé?

— Je le crois.

— Quel nom avez-vous fait graver dans la bague?

— Mathilde-1899.

— Bon... et quel est le texte de l'annonce?

— Je réussis et me souviens, Claude.

— Prenez-en note, Miss Lemon. Rubrique personnelle, 3 novembre. Voyons, nous avons dépensé cent deux livres, quatorze shillings, six pence; l'annonce devrai paraître pendant dix ans. Il nous reste un profit de quatre-vingt-deux livres, deux shillings et quatre pence. C'est parfait.

La secrétaire sortit et Luttrell s'écria:

— C'est affreux et cela me dégoûte!

— Que signifie?...

— Oui, c'est ignoble! Cette femme est bonne et honnête! Lui avoir menti, raconté des blagues, me rend malade!

Mr. Parker Pyne ajusta ses lunettes et dévisagea Claude gravement.

— Juste ciel! répliqua-t-il. Je n'ai pas le souvenir que votre conscience vous ait tourmenté au cours de votre... retentissante carrière! Vos exploits sur la Côte d'Azur ont été particulièrement effrontés et la manière dont vous avez exploité Mrs. Hattie West, la femme du roi des Concombres Californiens s'est notamment signalée par la dureté de vos instincts mercenaires.

— Sans doute, mais je ne suis plus le même, murmura Luttrell. Ce jeu est très laid!

Parker Pyne répondit du ton d'un maître d'école qui gronde un élève favori:

— Vous venez, mon cher enfant d'accomplir une action méritoire, vous avez donné à une femme découragée ce dont toutes les femmes ont besoin: un roman d'amour sentimental. Elles maudissent une passion et n'en gardent qu'un mauvais souvenir; tandis qu'une idylle exhale pendant des années un parfum délicat. Je connais la nature humaine et je puis vous assurer qu'une femme se nourrit longtemps d'un incident de ce genre... Nous avons fort bien rempli notre devoir envers Mrs. Packington.

— Possible, grommela Claude, mais cela ne me plaît pas.

Il sortit. Mr. Parker Pyne prit une fiche neuve dans son tiroir et inscrivit:

Intéressante apparition de la conscience dans l'esprit d'un gigolo endurci. En étudier le développement.

L'ORACLE DE DELPHES

En réalité, Mrs. Willard J. Peters n'aimait guère toute la Grèce; et, Delphes ne lui plaisait pas du tout.

Elle n'aimait vraiment que Paris, Londres et la Côte d'Azur. Certes, la vie d'hôtel lui était agréable, mais à condition que sa chambre eût un tapis de haute laine, un lit luxueux, une profusion de lampes électriques, de l'eau chaude et froide en abondance, un téléphone pour pouvoir commander du thé, des repas, des cocktails ou de l'eau minérale et appeler ses relations.

Hélas! l'hôtel de Delphes n'avait rien de tout cela. La vue y était magnifique, le lit propre et la chambre fraîchement blanchie à la chaux. Elle comportait une chaise, une table de toilette, une commode. On pouvait commander un bain d'avance, mais l'eau chaude n'y était jamais abondante.

Mrs. Peters estimait qu'il pourrait être agréable de dire qu'elle avait séjourné à Delphes, et

avait sincèrement essayé de s'intéresser à la
Grèce antique; mais la tâche s'avérait difficile!
Les statues paraissaient si incomplètes, sans
tête, bras ou jambes. Elle leur préférait beaucoup le bel ange en marbre, nanti d'ailes, qu'elle
avait fait ériger sur le tombeau de feu Willard
Peters.

Toutefois, elle gardait ses opinions pour elle,
car son fils, Willard, l'aurait tenue en piètre
estime si elle les lui avait exposées. C'était pour
lui qu'elle résidait dans cet hôtel peu confor-
table, avec sa femme de chambre de mauvaise
humeur et son chauffeur exaspéré.

Willard (qu'on appelait encore récemment
« Junior », ce qui l'agaçait) avait dix-huit ans
et sa mère l'adorait. Il avait une passion pour
l'art antique, et c'était lui qui avait entraîné sa
pauvre esclave de mère en Grèce. C'était un
garçon maigre, pâle, dyspeptique.

Ils avaient visité Olympie, que Mrs. Peters
avait considérée comme un affreux fouillis. Le
Parthénon lui avait plu, mais Athènes l'avait
déçue. Les excursions faites à Corinthe et Mycè-
nes lui avaient causé les pires angoisses, parta-
gées par son chauffeur.

Et, à présent, Mrs. Peters trouvait que Delphes
était pire que tout! Il n'y a rien à faire, sauf longer les routes et regarder les ruines. Willard
passait des heures à genoux pour déchiffrer les
inscriptions et s'écriait ensuite:

— Ecoute, Maman, n'est-ce pas splendide?

Puis il lisait à haute voix un texte que Mrs. Peters jugeait aussi inintéressant que possible...

Ce matin-là, le jeune homme était parti de très bonne heure pour aller voir des mosaïques byzantines et sa mère — qui devinait qu'elles la laisseraient froide, au propre comme au figuré — s'était récusée.

— Je comprends, avait répondu son fils. Tu veux rester seule pour t'asseoir dans le cirque ou sur le stade, tout admirer et en conserver le souvenir.

— Tu as raison, chéri.

— Je savais bien que ce site t'enthousiasmerait, avait déclaré Willard, ravi.

Mrs. Peters se préparait maintenant, en soupirant, à se lever et à prendre son petit déjeuner.

Elle passa dans la salle à manger et n'y trouva que quatre autres convives: une mère et sa fille, vêtues d'une façon que l'Américaine jugea bizarre et qui discouraient sur la manière de danser avec originalité. Un personnage qui se nommait Thompson, et qui avait descendu une valise de Mrs. Peters quand elle avait débarqué du train, plus un nouvel arrivant qui n'était là que depuis la veille.

Celui-ci demeura dans la salle à manger avec Mrs. Peters qui ne tarda pas à entamer la conversation. Elle était communicative et aimait avoir quelqu'un à qui parler. Or, Mr. Thompson n'était guère loquace (réserve britannique, avait conclu l'Américaine) et les deux femmes s'étaient montrées prétentieuses bien que la jeune fille eût paru trouver Willard à son goût.

Mrs. Peters jugea son nouveau commensal fort agréable; il était instruit sans être pédant; il lui donna plusieurs détails intéressants au sujet des grecs; elle en vint à les considérer comme des êtres vivants, non plus comme des robots.

Aussi parla-t-elle de Willard à son interlocuteur, de son intelligence, de sa culture. Mais elle n'apprit rien de précis au sujet de l'inconnu sauf qu'il voyageait et qu'il se reposait de ses affaires, dont il ne précisa pas la nature.

La journée s'écoula plus vite que la voyageuse ne l'espérait. La mère, la fille et Mr. Thompson ne devinrent pas plus sociables; et quand Mrs. Peters et son compagnon croisèrent ce dernier comme il sortait du musée, il s'éloigna aussitôt dans une direction opposée.

— Je me demande qui est cet homme?... murmura le second voyageur.

L'Américaine le nomma, mais ne put ajouter aucun détail.

— Thompson... Thompson... je ne crois pas le connaître et, pourtant, sa figure me rappelle quelqu'un... mais je ne sais où je l'ai déjà vu.

Dans l'après-midi, Mrs. Peters fit une petite

sieste dans un coin ombragé. Le livre qu'elle
avait emporté n'était pas l'excellent ouvrage sur
l'art grec recommandé par son fils, mais un
roman policier intitulé *Le Mystère de la Cha-
loupe*. Une bande de dangereux criminels y per-
pétrait quatre meurtres, et trois enlèvements.

Mrs. Peters se sentit tout à fait réconfortée
par cette lecture. Elle regagna l'hôtel à quatre
heures, convaincue que son fils serait de retour;
elle avait si peu de pressentiments inquiétants
qu'elle oublia presque d'ouvrir une lettre dépo-
sée, lui dit le propriétaire, par un inconnu. L'enveloppe était très sale. Mrs. Peters la décacheta,
lut les premières lignes, devint très pâle, et dut
s'appuyer contre un meuble. L'écriture était
étrange, mais le texte était anglais.

Madame,
Ceci doit vous apprendre que votre fils a été
emprisonné par nous dans un endroit secret.
Aucun mal ne lui sera fait si vous nous obéissez:
nous vous demandons une rançon de dix mille
livres sterling. Si vous parlez de cette lettre au
propriétaire de l'hôtel ou à toute autre personne,
votre fils sera mis à mort. Réfléchissez. Demain,
on vous indiquera comment payer. Si vous
n'obéissez pas à nos instructions, les oreilles de
l'honorable jeune monsieur seront coupées, et
vous seront envoyées. Si vous n'avez pas encore
obéi le lendemain, il sera tué. Ce n'est pas une

menace en l'air. Réfléchissez et, surtout taisez-
vous!

Démétrius le Noir.

La terreur de la pauvre mère serait impossible à décrire. Cette missive était absurde et son
style puéril, pourtant elle la mettait aux prises
avec un affreux péril qui menaçait son enfant,
son William adoré et fragile...

Elle voulait alerter la police, les habitants...
mais, si elle agissait ainsi... Elle se mit à trem-
bler.

Puis, se ressaisissant, elle se mit en quête du
propriétaire de l'hôtel qui parlait anglais.

— Il se fait tard, lui dit-elle, et mon fils n'est
pas rentré.

L'aimable petit homme lui sourit.

— C'est vrai. Le jeune monsieur a renvoyé
les mules, il voulait venir à pied, mais il devrait
déjà être ici; il a dû s'attarder en route.

— Dites-moi, interrogea brusquement Mrs.
Peters, y a-t-il des indésirables aux environs?

Le mot « indésirables » ne fut pas compris
par l'hôtelier, et Mrs. Peters dut s'expliquer. On
lui affirma que les habitants de Delphes étaient
de braves gens très tranquilles et bien disposés
envers les étrangers.

La malheureuse ne prononça pas les mots
qui lui montaient aux lèvres, car l'atroce
menace l'en empêcha. Il pouvait d'ailleurs

s'agir d'un simple bluff... Mais, en Amérique, une de ses amies avait signalé à la police l'enlèvement de son fils, et l'enfant avait été assassiné.

Elle devenait à moitié folle... Que devait-elle faire? Dix mille livres ne comptaient guère, comparées à l'existence de Willard. Mais comment se procurer cette somme? Il était très difficile de retirer de l'argent, et elle n'avait sur elle qu'une lettre de crédit valant quelques centaines de livres... Les bandits le comprendraient-ils? Se montreraient-ils raisonnables et accepteraient-ils un délai?

Quand sa femme de chambre parut, elle la pria sèchement de sortir. La cloche du dîner retentit et Mrs. Peters se rendit machinalement dans la salle à manger, où elle n'accorda aucune attention aux autres convives.

Au moment où on servait les fruits, une enveloppe fut posée devant elle; elle sursauta, mais l'écriture était entièrement différente de celle qu'elle connaissait: elle était spécifiquement anglaise et très soignée. Mrs. Peters ouvrit la lettre sans grande hâte; pourtant son contenu l'intrigua:

A Delphes, vous ne pouvez plus consulter l'Oracle. Mais vous pouvez consulter Mr. Parker Pyne.

Une annonce de journal était épinglée à la
lettre, au bas de laquelle on avait attaché une
photo de passeport, celle de l'aimable voyageur
arrivé la veille.

Mrs. Peters lut et relut l'annonce:

*Etes-vous heureux? Dans la négative, consul-
tez Mr. Parker Pyne.*

Nul n'était aussi malheureux qu'elle! C'était
une réponse à ses prières.

Elle griffonna sur un bout de papier qui était
dans son sac.

*Je vous supplie de m'aider! Veuillez me
rejoindre dehors dans dix minutes.*

Elle mit le papier dans une enveloppe, appela
un serveur et lui dit de la remettre au monsieur
assis à la table proche de la fenêtre. Dix minutes
après, vêtue de son manteau car il faisait froid,
Mrs. Peters sortit et longea la route qui menait
aux ruines. Mr. Parker Pyne l'attendait.

— C'est le ciel qui vous a envoyé, haleta-
t-elle. Mais comment avez-vous deviné mon
affreux souci? Je voudrais le savoir...

— L'expression de votre visage, chère Madame, répondit son interlocuteur gentiment. J'ai
deviné tout de suite que vous étiez tourmentée,
mais j'attends que vous m'expliquiez ce dont il
s'agit.

Elle lui raconta tout, et lui tendit la lettre
de menaces, qu'il déchiffra à la lueur de sa
torche électrique.

— Hum! dit-il. Un étrange document, très
étrange... Il y a des indices...

Mais Mrs. Peters n'était pas en état de discuter le texte de la lettre. Que devait-elle faire
pour Willard, son cher petit si fragile?

Mr. Parker Pyne se montra rassurant, et
brossa un agréable tableau d'un banditisme
grec. Ces gens se montreraient d'autant plus
soucieux de la santé du prisonnier qu'il représentait une mine d'or... Peu à peu il parvint à
calmer la mère.

— Mais que dois-je faire? gémit-elle.

— Attendre demain... à moins que vous ne
préfériez aller tout de suite alerter la police?

Mrs. Peters poussa un cri d'effroi: son fils
serait assassiné immédiatement!

— Croyez-vous qu'il me sera rendu en bonne
santé?

— Il n'y a aucun doute. La seule question
est de savoir si on vous le rendra sans que vous
versiez dix mille livres.

— Je ne veux qu'une chose: retrouver mon
enfant!

— Oui, oui... répondit doucement Parker
Pyne. A propos, qui est-ce qui a apporté cette
lettre?

— Un homme que personne ne connaissait.

— Ah! Voilà qui est utile. On pourra suivre celui qui apportera la lettre demain. Qu'avez-vous dit aux gens de l'hôtel au sujet de l'absence de votre fils?

— Je n'ai encore rien dit.

— Je me demande si vous ne devriez pas vous montrer inquiète. On enverrait des gens pour chercher ce garçon.

— Vous ne croyez pas que ces misérables...

— Non, non. Du moment qu'on ne parlera ni d'enlèvement ni de rançon; ils ne pourront pas se venger... et il est normal que la disparition de votre fils vous inquiète.

— Puis-je vous charger de tout arranger?

— C'est mon métier!

Ils reprirent le chemin de l'hôtel et se cognèrent presque à un promeneur de haute stature.

— Qui était-ce? interrogea vivement Parker Pyne.

— Je crois que c'était Mr. Thompson.

— Oh! Thompson? Hum...

En allant se coucher, Mrs. Peters était convaincue que l'idée de Mr. Parker Pyne était excellente. Le messager était sûrement en rapport avec les bandits... Elle se rassura, et dormit beaucoup mieux qu'elle ne l'avait espéré. Tandis qu'elle s'habillait le lendemain matin, elle aperçut un papier sur le plancher, près de la fenêtre, elle le ramassa... et sursauta: la même enve-

loppe sale, la même écriture vulgaire; elle ouvrit
la lettre en hâte:

Bonjour Madame,
Avez-vous bien réfléchi? Votre fils est vivant
et n'a aucun mal... pour le moment. Mais il
nous faut l'argent. Ce n'est pas facile pour vous
d'avoir la somme, mais on nous a dit que vous
avez ici un collier de diamants très beau. Nous
nous en contenterons. Ecoutez ce qu'il faut
faire: vous, ou quelqu'un que vous choisirez,
devez apporter le collier au stade; puis monter
jusqu'à l'endroit où il y a un arbre à côté d'un
gros rocher. Des yeux regarderont pour être sûrs
qu'une seule personne viendra. Votre fils sera
échangé contre le collier. Demain matin à six
heures, juste après le lever du soleil. Si, après,
vous nous dénoncez à la police, nous tuerons
votre fils pendant que votre voiture ira à la gare.
C'est notre dernier mot, Madame: si pas de
collier demain matin, oreilles du garçon seront
envoyées. Le lendemain il meurt.
Salutations.

Démétrius.

Mrs. Peters courut chercher Mr. Parker Pyne;
il lut la lettre attentivement.
— Avez-vous vraiment ce collier? demanda-t-il.
— Oui; mon mari l'a payé cent mille dollars.

— Ces voleurs sont bien informés!

— Que dites-vous?

— J'examinais certains aspects du problème.

— Je n'ai pas le temps! Je veux mon enfant!

— Voyons, Madame, vous êtes énergique! Cela vous plaît-il d'être menacée de perdre dix mille livres? Allez-vous remettre gentiment vos diamants à une bande de misérables?

— Evidemment, si on envisage la question ainsi...

La femme énergique et la mère se combattaient dans l'esprit de l'Américaine. Elle ajouta:

— J'aimerais me venger de ces sinistres brutes! Dès que j'aurais retrouvé mon fils, je mettrai à leurs trousses toute la police du pays! Et, s'il le faut, je louerai une auto blindée pour nous conduire à la gare!

Mrs. Peters était rouge et hors d'elle.

— Ou...i, répondit son interlocuteur, mais je crains qu'ils ne s'y attendent. Ils savent que rien ne vous empêchera d'alerter la population dès que votre fils sera revenu.

— Alors, que voulez-vous faire?

Il sourit:

— Mettre en œuvre un petit plan auquel j'ai pensé...

Il regarda autour de lui: la salle à manger était déserte et les portes étaient fermées; il reprit:

— Je connais un bijoutier à Athènes, qui a

pour spécialité les diamants synthétiques de toute première qualité...

Il baissa la voix:

— Je vais lui téléphoner: il viendra dans l'après-midi avec un choix de pierres.

— Et puis?

— Il enlèvera les vrais diamants et les remplacera par des imitations.

— Oh! que vous êtes adroit! s'écria Mrs. Peters avec enthousiasme.

— Chut! Pas si haut! Voulez-vous me rendre un service?

— Je crois bien!

— Veillez à ce que personne ne puisse écouter ma communication téléphonique.

Elle acquiesça.

L'appareil était dans le bureau du propriétaire, qui en sortit aimablement après avoir aidé Mr. Parker Pyne à obtenir le numéro qu'il désirait. Il trouva Mrs. Peters devant la porte.

— J'attends Mr. Parker Pyne, dit-elle. Nous devons faire une promenade.

— Bien, Madame.

Mr. Thompson était également dans le vestibule; il s'avança pour demander au propriétaire s'il n'y avait pas de villas à louer.

— Non? Pas possible! Et celle qui se trouve juste au-dessus de l'hôtel?

— Elle appartient à un monsieur qui ne la loue jamais.

— N'y a-t-il pas d'autres maisons?

— Si, de l'autre côté du village, la propriété d'une dame américaine. Elle est fermée. Puis, sur la falaise, la villa d'un artiste anglais.

Mrs. Peters que la nature avait douée d'une voix sonore, s'écria encore plus haut qu'à l'ordinaire:

— Comme j'aimerais avoir une maison ici! C'est si simple, si peu mondain! Vous devez partager mon opinion, Monsieur, puisque vous désirez vous installez. N'étiez-vous encore jamais venu? Vraiment!

Elle continua sans reprendre haleine jusqu'à ce que Parker Pyne sortit du bureau. Il lui jeta un rapide coup d'œil approbateur.

Mr. Thompson descendit lentement les marches du perron, et alla rejoindre sur la route les deux voyageuses intellectuelles qui paraissaient avoir froid.

Le bijoutier arriva juste avant le dîner, dans un car rempli de touristes. Mrs. Peters alla lui remettre son collier dans une chambre. Il exprima son admiration et déclara:

— Madame peut être certaine que je réussirai.

Puis, il sortit des outils de sa valise, et se mit en devoir de travailler.

A onze heures du soir, Mr. Parker Pyne frappa à la porte de Mrs. Peters, lui dit: « Voici! » et lui tendit un petit sac de peau. Elle y jeta un coup d'œil.

— Mes diamants.

— Chut! Voici le collier où les fausses pierres remplacent les vraies. C'est du bon travail, n'est-ce pas?

— Merveilleux!

— Aristopoulos est un as.

— Vous ne craignez pas que ces gens se méfient?

— Comment serait-ce possible? Ils savent que le collier est en votre possession, et vous le leur remettez. Ils ne peuvent flairer la super-cherie.

— Je trouve que c'est merveilleux, répéta Mrs. Peters en lui rendant le bijou. Voudriez-vous le leur porter... ou est-ce trop vous demander?

— Très volontiers... mais donnez-moi leur lettre pour que je suive leurs recommanda-tions... Merci. Bonne nuit et bon courage. Votre fils sera près de vous demain matin.

— Oh! puissiez-vous dire vrai!

— Ne vous inquiétez pas, et laissez-moi faire.

Mrs. Peters ne passa pas une bonne nuit. Quand elle s'assoupissait, elle faisait d'affreux rêves: des bandits armés tiraient sur Willard, qui descendait de la montagne en pyjama. Elle était heureuse de s'éveiller et, dès les premières lueurs du jour, elle se leva, s'habilla, attendit...

A sept heures, on frappa à sa porte. Elle avait la gorge tellement sèche qu'elle put à peine dire: « Entrez! »

Mr. Thompson parut. Elle le dévisagea et eut le pressentiment d'un malheur. Pourtant ce fut d'une voix calme et agréable qu'il dit:

— Bonjour Madame.

— Comment osez-vous, Monsieur...

— Veuillez excuser ma visite intempestive, à une heure aussi matinale. Seulement, j'ai une affaire à régler...

Elle se pencha en avant, le regard flamboyant:

— C'est donc vous qui avez enlevé mon fils! Ce n'était pas des bandits!

— Il ne s'agissait pas de bandits et cette partie du complot a été bien mal orchestrée sans la moindre élégance.

L'Américaine n'avait qu'une seule préoccupation:

— Où est mon enfant? cria-t-elle tandis que ses yeux lui donnaient l'aspect d'une tigresse en colère.

— Juste derrière la porte.

— Willard!

Celui-ci, un peu hirsute, se précipita dans les bras de sa mère. Mr. Thompson les contemplait avec bonté.

Se ressaisissant, Mrs. Peters se tourna vers lui:

— Je vais vous faire arrêter!

— Tu te trompes, Maman! C'est ce monsieur qui m'a délivré.

— Où étais-tu?

— Dans une maison au bord de la falaise, à 1 500 mètres d'ici.

— Permettez-moi également, Madame, de vous restituer ce qui vous appartient, ajouta Thompson.

Il lui tendit un paquet enveloppé de papier de soie qui, mal attaché, tomba et laissa voir le collier de diamants.

Thompson reprit en souriant:

— Vous pouvez jeter le petit sac et son contenu, car les véritables diamants n'ont pas quitté votre collier. Les autres ne sont que des imitations.

— Je ne comprends absolument rien, murmura Mrs. Peters.

— Il faut vous mettre à ma place, déclara son interlocuteur. Mon attention a été attirée par l'emploi d'un certain nom; j'ai eu l'indiscrétion de vous suivre pendant que vous vous promeniez avec ce gros monsieur — et d'écouter, je l'avoue — votre intéressante conversation... Je me suis ensuite entendu avec le propriétaire de l'hôtel: il a pris note du numéro de téléphone demandé par ce client.

« J'ai compris tout le complot: vous étiez la victime de deux adroits voleurs de bijoux! Ils connaissaient l'existence de votre rivière de diamants, vous avaient suivi jusqu'ici. Puis, après avoir emprisonné votre fils, ils vous avaient écrit cette lettre ridicule et s'étaient arrangés pour que vous racontiez vos ennuis à l'un d'eux... Après quoi, tout leur devenait facile. L'individu vous a remis un sac de faux diamants... et s'est enfui avec son complice. Ce matin, ne voyant pas revenir votre fils, vous vous seriez affolée et l'absence de votre conseiller vous aurait fait croire qu'il était tombé dans un piège. Je pense que les voleurs avaient pris des mesures pour qu'on se rende demain à la villa. On y aurait trouvé votre fils et, avant que le complot ait pu être éventé, les deux chenapans auraient été loin!

— Et maintenant?

— Oh! ils sont en prison! J'ai fait le nécessaire.

— Le misérable! s'écria Mrs. Peters.

— Il n'est certainement pas recommandable, reconnut Thompson.

— Je me demande comment vous l'avez démasqué fit Willard médusé. Vous êtes joliment intelligent.

— Non, répondit le pseudo Thompson. Mais quand on voyage incognito, et qu'on entend user de son propre nom...

— Qui êtes-vous donc? interrompit Mrs. Peters.

— C'est moi qui suis Parker Pyne, répondit-il en souriant.

L'EMPLOYÉ DE BUREAU

Mr. Parker Pyne se renversa dans son fauteuil tournant et contempla son visiteur d'un air pensif. Il avait en face de lui un homme de petite taille, de quarante-cinq ans environ, robuste, aux yeux mélancoliques et timides qui posait sur lui un regard inquiet, mais plein d'espoir.

— J'ai lu votre annonce dans le journal, dit-il.

— Vous avez des ennuis?

— Non... pas précisément.

— Vous êtes malheureux?

— Je ne puis le prétendre, car j'ai des raisons de remercier le sort.

— Nous en avons tous, déclara le détective. Mais c'est mauvais signe quand nous nous sentons obligés de l'avouer.

— C'est bien cela, répondit le petit homme. Vous avez fait mouche!

— Voulez-vous me donner des détails?

— Je n'ai pas grand-chose à raconter: j'ai une situation, j'ai pu mettre un peu d'argent de côté, mes enfants sont en excellente santé.

— Alors, que désirez-vous?

— Je... je ne sais pas! (Il rougit et ajouta:) Cela doit vous paraître ridicule, Monsieur...

— Pas du tout.

A l'aide de questions adroites, Parker Pyne obtint des précisions: Roberts était employé dans une firme connue et montait régulièrement en grade. Son ménage était heureux, mais sa femme et lui avaient dû peiner pour garder un aspect digne, faire instruire leurs enfants et les habiller convenablement; grâce à des prodiges d'économie ils étaient arrivés à économiser chaque année quelques centaines de livres, bref, c'était l'histoire d'un incessant effort.

— Vous voyez ce qu'il en est, conclut Mr. Roberts. En ce moment ma femme est chez sa mère avec les deux gosses. Elle se repose un peu et les enfants s'amusent. Mais ma belle-mère ne peut me loger aussi et nous n'avons pas les moyens d'aller ailleurs. Etant seul, j'ai lu votre annonce qui m'a donné à réfléchir... J'ai quarante-huit ans... Il se passe des événements partout...

— En somme, dit le détective, vous voudriez mener une existence somptueuse pendant dix minutes?

— Ce n'est pas tout à fait cela... toutefois...

je serais heureux de sortir de l'ornière et,
ensuite, j'y retournerais volontiers si je pouvais évoquer des souvenirs... Je crains que ce
soit impossible, Monsieur? Je... je ne pourrais
pas dépenser beaucoup.

— De quelle somme disposez-vous?

— Je pourrais dépenser cinq livres sterling...

— Cinq livres, répondit Parker Pyne. Je crois
que nous pourrions organiser quelque chose...
Le danger vous effraie-t-il?

Le visage blafard de Roberts se teinta de
rouge.

— Le danger, Monsieur? Oh! non, pas du
tout... Mais je n'ai jamais rien fait de dangereux.

— Revenez me voir demain et je vous dirai
ce que je puis tenter.

Le *Bon Voyageur* est une petite hostellerie
fréquentée seulement par des habitués qui n'ai-
ment pas les inconnus. Parker Pyne y entra et
fut reçu avec respect.

— Mr. Bonnington est-il ici? interrogea-t-il.

— Oui, Monsieur, à sa table habituelle.

— Bien, je vais le rejoindre.

Bonnington était un personnage d'aspect militaire, au visage calme.

— Holà, Parker, dit-il cordialement. Je ne
vous vois presque jamais et j'ignorais que vous
fréquentiez cette maison.

— J'y viens parfois, surtout quand je veux rencontrer un vieil ami.

— C'est de moi que vous parlez?

— Oui. En réalité, Lucas, j'ai réfléchi à ce dont nous parlions l'autre jour.

— L'affaire Peterfield? Avez-vous lu les dernières nouvelles dans les journaux? Non, vous n'avez pas pu car elles ne seront divulguées que ce soir.

— Que s'est-il passé?

— On a assassiné Peterfield la nuit dernière, annonça Bonnington qui mangeait paisiblement de la salade.

— Juste Ciel! s'écria le détective.

— Oh! je n'en suis pas étonné. Il était très entêté et n'a pas voulu nous écouter: il tenait à garder les plans par devers lui.

— Les lui a-t-on volés?

— Non, une voisine était venue lui apporter une recette pour la cuisson du jambon. Le professeur, distrait comme toujours, a mis cette recette dans son coffre-fort et les plans dans la cuisine!

— C'est une chance!

— A peu près providentielle. Toutefois, je ne sais toujours pas quel est celui qui les portera à Genève. Maitland est à l'hôpital, Carslake à Berlin. Moi, je ne puis m'absenter... il ne reste que le jeune Hooper...

Bonnington regarda son ami qui demanda:

— Vous n'avez pas changé d'avis?

— Non. On l'a acheté, j'en suis sûr. Je n'ai aucune preuve mais je sais reconnaître un traître. Pourtant je veux que ces papiers atteignent Genève. Pour la première fois, une invention ne sera pas vendue à une autre nation; elle lui sera donnée de plein gré! Jamais on n'a fait un geste plus habile pour assurer la paix et il faut qu'il réussisse... Or, Hooper est vendu; on apprendrait qu'il a été drogué dans le train ou, s'il prend l'avion, celui-ci atterrira à un endroit convenu! Seulement, je ne puis l'écarter! Question de discipline! C'est pourquoi, je vous en ai parlé l'autre jour.

— Vous m'avez demandé si je connaîtrais un messager...

— Oui; j'ai pensé que parmi vos clients, vous aviez peut-être un casse-cou prêt à la bagarre. Si *moi* j'envoyais quelqu'un il aurait de grandes chances de ne pas s'en tirer! Tandis que votre homme ne serait probablement pas soupçonné. Toutefois il lui faudrait du nerf!

— Je crois avoir ce qu'il vous faut.

— Grâce au Ciel, il y a donc encore des types qui acceptent de courir des risques! Est-ce convenu?

— Oui, répondit Parker Pyne.

Le détective résumait ses instructions:

— Est-ce clair? Vous voyagerez dans un

wagon-lit de première classe pour Genève,
après avoir quitté Londres à vingt-deux heures
quarante-cinq par Folkestone et Boulogne. C'est
à Boulogne que vous prendrez votre wagon-lit;
vous serez à Genève le lendemain matin, à huit
heures. Voici l'adresse où vous devez vous rendre: apprenez-la par cœur et je la détruirai
ensuite. Puis vous irez à l'hôtel que voici et
vous y attendrez d'autres directives. Je vais
vous remettre une somme suffisante en billets
français et suisses et en monnaie. Compris?

— Oui, Monsieur, dit Roberts dont les yeux
brillaient de joie... Excusez-moi si je vous pose
une question: puis-je savoir... ce que je vais
transporter?

— C'est un cryptogramme qui révèle la cachette où se trouvent les joyaux de la couronne
de Russie! Vous comprenez que des agents bolchevistes voudront vous le prendre? S'il vous
devient nécessaire de parler à quelqu'un, je
vous conseille de raconter que vous venez de
faire un petit héritage et que vous avez voulu
connaître la Suisse.

Mr. Roberts sirotait une tasse de café et contemplait le lac de Genève. Il était ravi et, pourtant, un peu déçu. Ravi parce qu'il se trouvait
en pays étranger pour la première fois; de plus,
il était descendu dans un hôtel dont il avait,
jusqu'alors ignoré le genre, sans avoir eu à se
préoccuper de ses dépenses. Il avait une cham-

bre munie d'une salle de bains privée, des repas exquis et on le servait avec empressement, toutes choses qui l'enchantaient.

Mais il était désappointé parce qu'aucune aventure ne s'était présentée: ni Bolchevistes déguisés, ni Russes mystérieux n'avaient donné signe de vie. Une conversation agréable avec un voyageur de commerce français qui parlait fort bien l'anglais, avait, dans le train, été sa seule distraction. Ainsi qu'on le lui avait conseillé, il avait caché les papiers dans son sac à éponges et les avait remis à ceux auxquels il devait les apporter.

Ce fut alors qu'il se sentait frustré qu'un homme grand et barbu murmura « Pardon » et vint s'asseoir en face de lui.

— Excusez-moi, dit-il. Je crois que vous connaissez un de mes amis dont les initiales sont « P.P. ».

Roberts devint tout ouïe. N'était-ce pas un Russe?

— Ce... c'est exact, murmura-t-il.

— Donc, nous nous comprenons, dit l'étranger.

Roberts le dévisagea: l'homme accusait la cinquantaine, il était distingué mais n'avait pas le type anglais. Il avait un monocle et sa boutonnière s'ornait d'un mince ruban.

— Vous avez fort bien accompli votre mission, déclara-t-il. Seriez-vous disposé à en accepter une autre?

— Certainement! Volontiers!

— Parfait. Vous allez louer un wagon-lit dans le rapide Genève-Paris pour demain soir; vous demanderez la couchette 9.

— Et si elle n'était pas libre?

— Elle le sera. Tout a été prévu.

— La couchette 9, répéta Roberts. Bien.

— Au cours du voyage, quelqu'un vous dira: « Pardon, Monsieur, je crois que vous étiez récemment à Grasse? » Vous répondrez: « En effet, le mois dernier. » Votre interlocuteur ajoutera: « Vous vous occupez de parfums? » et vous direz: « En effet, je suis fabricant d'huile de jasmin synthétique »... Après quoi vous vous mettrez à la disposition de ce personnage. A propos, êtes-vous armé?

— Non, balbutia l'employé de commerce fort ému. Je ne supposais pas...

— Nous pouvons y remédier, reprit l'inconnu en regardant autour de lui. Il n'y avait personne, il posa un objet dur et brillant dans la main de Roberts en ajoutant:

— Cette petite arme est fort efficace.

Roberts qui n'avait jamais fait usage d'un revolver le glissa dans sa poche avec précaution car il craignait que le coup ne partît!

Son interlocuteur lui fit répéter les phrases convenues puis se leva en ajoutant:

— Je vous souhaite bonne chance! Puissiez-vous sortir de là indemne. Vous êtes très courageux, Monsieur!

« Suis-je courageux? pensa Roberts resté seul. *Je ne veux pas être tué!* »

Un petit frisson joyeux lui parcourut l'échine, suivi d'un second moins agréable. Il monta dans sa chambre pour examiner l'arme dont il connaissait mal le maniement, il souhaita ne pas avoir à s'en servir. Puis il alla retenir sa place.

Le train quittait Genève à vingt et une heures trente. Roberts arriva à la gare en avance. L'employé du wagon-lit regarda son passeport et son billet puis fit place à un porteur qui mit la valise de l'Anglais dans le filet. Une mallette en peau de porc et un sac de voyage s'y trouvaient déjà.

— L'employé déclara: « Le numéro 9 est la couchette du bas. »

Tandis que Roberts sortait du compartiment, il se heurta à un gros homme qui entrait. Tous deux s'excusèrent, le premier en anglais, le second en français. C'était un individu corpulent, au crâne rasé, aux épaisses lunettes derrière lesquelles son regard paraissait soupçonneux.

« *Vilain bonhomme!* » pensa Roberts qui lui trouvait l'aspect sinistre. Etait-ce pour le sur-

veiller qu'on lui avait demandé de louer la
place numéro 9? C'était possible.

Il passa dans le couloir. Le convoi ne devait
partir que dix minutes plus tard et il eut envie
de faire les cent pas sur le quai. Au milieu du
couloir, il s'effaça pour laisser passer une voyageuse qui arrivait, précédée du contrôleur qui
tenait son billet à la main. En passant près de
Roberts, elle laissa tomber son sac à main, il le
ramassa, le lui tendit et elle murmura:

— Merci, Monsieur.

Elle parlait anglais mais sa belle voix grave
avait des inflexions étrangères. Comme elle
allait reprendre sa marche, elle hésita puis
demanda très bas:

— Pardon, Monsieur, je crois que vous étiez
récemment à Grasse?

Le cœur de Roberts palpita à l'idée qu'il
devait se mettre à la disposition de cette ravissante créature... car elle était incontestablement
délicieuse et, de plus, riche et distinguée. Elle
portait un beau manteau de fourrure, un chapeau dernier cri et avait des perles autour du
cou. Brune avec des lèvres vermeilles.

Roberts répondit comme convenu:

— Oui, le mois dernier.

— Vous vous intéressez aux parfums?

— En effet; je fabrique de l'huile de jasmin
synthétique.

L'inconnue baissa la tête, passa et murmura:

— Dans le couloir dès que le train sera en marche.

Les dix minutes suivantes parurent éternelles à Roberts. Le convoi s'ébranla enfin et le conspirateur longea lentement le corridor. La dame essayait de baisser une vitre; il courut l'aider.

— Merci, Monsieur, dit-elle. Respirons un peu d'air frais avant que les employés ne ferment partout... Puis, d'une voix basse et rapide, elle ajouta: Quand nous aurons franchi la frontière et que l'autre voyageur sera assoupi — mais pas avant — passez dans le lavabo et, de là, dans le compartiment suivant. Avez-vous compris?

— Oui... (Ayant baissé la glace, Roberts reprit plus haut:) « Est-ce bien ainsi, Madame? »

— Merci infiniment.

Il alla reprendre sa place. Son compagnon était déjà étendu sur la couchette supérieure et n'avait enlevé que son veston et ses souliers. Roberts pensa qu'il ne devait pas se déshabiller puisqu'il irait rejoindre la dame. Il prit des pantoufles dans sa valise, les substitua à ses chaussures et s'allongea après avoir éteint la lumière. Un instant plus tard, l'autre voyageur ronflait. Le train atteignit la frontière à vingt-deux heures. Un douanier ouvrit la portière, demanda: « Ces messieurs n'ont-ils rien à déclarer? » puis la referma et le convoi quitta Bellegarde.

L'inconnu ronflait toujours... Roberts attendit une vingtaine de minutes, se dressa sans bruit, ouvrit la porte du lavabo, se glissa à l'intérieur et tira le verrou derrière lui. Puis, il examina la porte qui lui faisait face... Elle n'était pas fermée. Fallait-il frapper? Ce serait peut-être ridicule et, pourtant, il n'osait pas entrer dans l'autre compartiment sans prévenir... Il prit un moyen terme, entrouvrit et attendit après avoir toussoté.

La réponse fut prompte: le battant s'ouvrit en grand, on lui saisit le bras et la jeune femme, après l'avoir fait entrer, referma et verrouilla la porte.

Roberts retint sa respiration car il n'avait jamais contemplé plus charmant spectacle: elle était vêtue d'une longue tunique souple de mousseline et de dentelle crème; appuyée contre la paroi du couloir, elle haletait.

— Dieu soit loué! murmura-t-elle.

Roberts s'aperçut qu'elle était très jeune et d'une beauté féerique. Elle dit très vite, en anglais correct mais d'une voix aux inflexions étrangères:

— Je suis contente de vous voir! J'ai eu tellement peur! Vassiliévitch est dans le train... Vous comprenez?

Il ne comprenait pas du tout, mais il acquiesça.

— Je croyais leur avoir échappé, reprit la belle voyageuse. J'aurais dû mieux les connaître! Qu'allons-nous faire? Vassiliévitch est dans le compartiment proche du mien. Quoiqu'il arrive il ne faut pas qu'il s'empare des joyaux, même s'il me tue...

— Il ne vous tuera pas et il ne prendra rien! affirma Roberts.

— Mais que puis-je faire des bijoux?

Il regarda la porte et fit observer:

— Vous avez fermé à clef.

Elle se mit à rire.

— Les portes fermées ne gênent pas Vassiliévitch!

Roberts croyait vivre un roman d'aventures! Il répondit:

— Il n'y a qu'une chose à faire. Confiez-les-moi.

Elle le regarda d'un air dubitatif et murmura:

— Ils valent plus de dix millions.

Roberts rougit mais affirma:

— Soyez sans crainte!

L'inconnue hésita encore un instant puis déclara:

— Oui, je vous fais confiance... (Elle se baissa et lui tendit une paire de bas de soie roulée en ajoutant:) Prenez!

Il saisit le paquet qui était fort lourd.

— Emportez-les dans votre compartiment...
Vous me les rendrez demain matin... si... si je
suis encore de ce monde!

Roberts balbutia:

— Il... faut que je veille sur vous... pas ici
évidemment. Je monterai la garde là-dedans...

Il désignait le lavabo.

— Si vous voulez rester, dit la jeune femme
en montrant la couchette supérieure.

Il devint cramoisi.

— Non, non, je serai très bien à côté. Appe-
lez-moi en cas de danger.

— Merci, mon ami...

Elle se glissa sur la couchette inférieure, s'en-
veloppa des draps et sourit avec reconnaissance.
Roberts passa dans le lavabo.

Deux heures plus tard, environ, il crut entendre du bruit et dressa l'oreille... Rien... Il se
trompait sans doute... Pourtant il lui avait bien
semblé qu'un cri avait été poussé dans le compartiment voisin... Est-ce que...

Il ouvrit doucement la porte... la lumière était
toujours en veilleuse... il tenta de s'habituer à
la pénombre, regarda la couchette... Elle était
vide! Roberts tourna vivement le commutateur...
il n'y avait personne mais une odeur qu'il reconnut monta à ses narines, celle douceâtre et
malsaine du chloroforme!

Il passa dans le couloir après avoir remar-

qué que la porte n'était plus verrouillée et le
parcourut des yeux... Personne! La jeune femme avait dit que Vassiliévitch occupait le compartiment voisin... Roberts tourna doucement
la poignée... la porte était fermée à l'intérieur...

Que pouvait-il faire? Frapper? L'individu ne
voudrait pas ouvrir... et la voyageuse n'était
peut-être pas là! Dans le cas contraire, elle ne
tiendrait sans doute pas à faire un scandale?
Roberts avait compris que l'affaire était mys-
térieuse...

Il longea le couloir avec inquiétude et s'arrêta
devant le dernier compartiment. La porte était
ouverte et l'employé des wagons-lits y dormait.
Au-dessus de lui son manteau et sa casquette
étaient accrochés.

Roberts n'hésita pas: il enfila le premier, se
coiffa de la seconde et se précipita dans le couloir. Arrivé devant le compartiment suspect, il
prit son courage à deux mains et frappa...

Ne recevant pas de réponse, il recommença
et dit: « Monsieur! » La porte s'entrouvrit et
une tête se montra... L'homme, manifestement
étranger, avait une moustache noire et paraissait méchant.

— Qu'est-ce qu'il y a? gronda-t-il.

— Votre passeport, répliqua Roberts qui
recula.

L'autre hésita puis sortit dans le couloir ainsi

que son adversaire s'y attendait car, s'il avait
emprisonné la jeune femme il se garderait de
laisser entrer l'employé. Roberts ne perdit pas
un instant: il poussa violemment l'étranger que
le balancement du train fit tituber, se précipita
dans le compartiment et s'y enferma.

La voyageuse, bâillonnée et les poignets atta-
chés était couchée en travers du lit. Il la délivra
aussitôt et elle s'appuya contre son épaule en
gémissant:

— Je me sens bien faible! Je crois qu'il m'a
chloroformée... Est-ce que... les a-t-il pris?

— Non, répondit Roberts en frappant sur sa
poche. Qu'allons-nous faire maintenant?

La jeune fille se redressa et parut se ranimer;
puis elle regarda l'accoutrement de son défen-
seur et s'écria:

— Que vous êtes habile d'avoir pensé à cela!
Il m'a dit qu'il me tuerait si je ne lui avouais
pas où étaient les bijoux et j'avais bien peur...
mais vous êtes arrivé!

Elle éclata de rire et reprit:

— Nous l'avons joué et il n'osera plus rien
faire! Il n'essaiera même pas de revenir dans
son compartiment! Il faut que nous restions ici
jusqu'au jour; il quittera probablement le train
à Dijon où nous devons nous arrêter dans une
demi-heure; mais il télégraphiera à Paris où ses
complices nous attendront. Pour le moment,

jetez ce manteau et cette casquette par la fenêtre sans quoi vous aurez des ennuis.

Roberts obéit. L'inconnue ordonna:

— Il faut que nous montions la garde jusqu'à l'aube.

Cette veillée parut grave et dangereuse. A
six heures du matin, Roberts entrouvrit la porte
et regarda avec précaution. Il n'y avait personne dans le couloir. La voyageuse se glissa
vivement dans son compartiment et il la suivit;
les traces d'une fouille étaient visibles. L'Anglais regagna sa propre couchette; au-dessus de
lui, son compagnon de veille ronflait toujours.

Le train arriva à Paris à sept heures. L'employé des wagons-lits se plaignait hautement de
la disparition de son manteau et de sa casquette
mais ne s'était pas encore aperçu qu'un de ses
clients manquait!

Une chasse mouvementée commença: Roberts et la jeune fille prirent plusieurs taxis
pour traverser la ville, entrèrent dans des hôtels
et des restaurants par une porte, sortirent par
une autre... la voyageuse soupira enfin:

— Je crois que nous avons pu faire perdre
nos traces!

Ils déjeunèrent, se firent conduire au Bour-
get et, trois heures plus tard, atterrirent à Croy-
don.

Roberts prenait l'avion pour la première fois.

A l'aéroport, un vieux monsieur distingué

qui ressemblait un peu au mentor de Roberts à Genève, attendait. Il salua la passagère avec le plus grand respect et lui dit:

— L'auto attend, Madame.

— Ce monsieur nous accompagnera, Paul, répondit-elle.

Puis, se tournant vers Roberts, elle présenta:

— Le comte Paul Stepanyi.

Ils montèrent dans une grande limousine, roulèrent pendant une heure, puis pénétrèrent dans un parc et s'arrêtèrent devant un imposant manoir. On conduisit Roberts dans un élégant bureau où il remit le paquet enveloppé de bas au comte Stepanyi. Ce dernier sortit mais ne tarda pas à reparaître.

— Monsieur, déclara-t-il, toute notre gratitude vous est acquise. Vous avez fait preuve d'intelligence et d'adresse... Permettez-moi, ajouta-t-il en tendant à Roberts un écrin de maroquin rouge, de vous conférer l'Ordre de Saint-Stanislas, de dixième classe, avec lauriers.

Son interlocuteur croyait rêver en ouvrant l'écrin qui contenait une décoration enrichie de diamants. Le vieux gentilhomme continuait:

— La Grande Duchesse Olga désire vous remercier elle-même avant votre départ...

Il emmena Roberts dans un grand salon où se tenait sa compagne de voyage, fort élégamment vêtue. Elle fit un geste autoritaire et le comte sortit; puis elle dit:

— Je vous dois la vie!

Elle tendit la main et Roberts la baisa, se penchant vers lui, elle murmura:

— Vous êtes un héros! et l'embrassa tandis qu'un flux de parfum capiteux lui montait aux narines...

Il se croyait toujours le jouet d'un songe quand une voix lui annonça:

— La voiture va vous emmener où vous voudrez.

Une heure plus tard, l'auto vint chercher la Grande Duchesse et le vieillard qui avait ôté sa barbe blanche. On déposa la belle jeune personne devant une petite maison des faubourgs de Londres; elle y entra et une femme d'un certain âge, assise, devant une table à thé s'écria: « Te voilà, Maggie chérie. »

Dans le rapide Genève-Paris, elle se nommait la Grande Duchesse Olga et Madeleine de Sara dans les bureaux de Mr. Parker Pyne. Mais dans la modeste demeure de Streatham, c'était Maggie Sayers, quatrième fille d'une honnête famille laborieuse.

La roche Tarpéienne est proche du Capitole!

Parker Pyne déjeunait avec un ami qui lui disait:

— Mes compliments! Votre homme a rempli

sa mission au mieux. La bande Tormali doit être furieuse que les plans de ce canon lui aient échappés! Aviez-vous dit de quoi il s'agissait à votre émissaire?

— Non... j'ai préféré... enjoliver la chose.

— Vous êtes discret.

— Ce n'est pas de la simple discrétion; je voulais que sa commission le passionnât et je supposais qu'un canon ne remplirait pas ce but. Je souhaitais qu'il courût quelques aventures.

— Le canon ne suffisait pas? interrogea Bonnington stupéfait. Ces gangsters l'eussent assassiné sans hésiter...

— Oui, répondit le détective, mais je ne voulais pas lui faire courir un danger.

— Est-ce que votre cabinet vous rapporte beaucoup? reprit son ami toujours aussi étonné.

— Il me fait quelquefois perdre de l'argent... quand le client est méritant.

Trois personnages furieux s'invectivaient à Paris.

— Quel maladroit que ce Hooper! s'écria l'un d'eux. Il nous a laissé tomber!

— Pourtant, répondit le second, les plans n'ont pas voyagé par les soins d'un fonctionnaire, j'en suis sûr. Je déclare donc que vous avez loupé l'affaire!

— Pas du tout, répliqua le troisième avec humeur. Il n'y avait aucun Anglais dans le

train sauf un petit employé que j'ai fait parler
mais qui ignorait complètement Peterfield et
son canon... Les Bolchevistes seuls l'intéressaient, ajouta-t-il en ricanant.

Roberts était assis chez lui devant le feu. Il
tenait à la main une lettre de Mr. Parker Pyne
qui contenait un chèque de cinquante livres
sterling de la part de certaines personnes en-
chantées de la façon dont leur commission a
été menée à bien.

Un livre, de son abonnement de lecture, était
posé devant Roberts; il l'ouvrit au hasard et
lut:

*Elle était appuyée contre la porte, semblable
à une magnifique proie aux abois.*

Comme cette description était exacte! Il lut
plus loin:

*Quand il renifla, l'odeur faible mais écœu-
rante du chloroforme lui monta aux narines.*

Il connaissait cette impression!

*Il la prit dans ses bras et ses lèvres purpu-
rines effleurèrent les siennes.*

Roberts soupira. Ce n'était pas de la littéra-
ture! C'était réel. A l'aller, son voyage avait été
monotone... mais au retour! Comme tout l'avait
intéressé! Cependant, il était heureux d'être à
nouveau chez lui car il comprenait vaguement
qu'il serait impossible de toujours vivre ainsi
sous pression! La Grande Duchesse Olga elle-

même ne lui semblait déjà plus aussi vivante.

Mary et les enfants seraient de retour le lendemain. Il sourit gaiement. Sa femme lui dirait:

— Nous avons passé d'excellentes vacances, mais j'étais navrée de te savoir tout seul ici, mon pauvre ami!

Il lui répondrait:

— Aucune importance, ma petite. J'ai dû aller à Genève pour une affaire de service... assez délicate... et regarde ce qu'on m'a donné comme gratification! Il montrerait le chèque de cinquante livres.

Puis il pensa à l'Ordre de Saint-Stanislas, de dixième classe avec lauriers... Il l'avait caché mais si Mary le trouvait, comment lui expliquer... Ah! il lui dirait qu'il l'avait acheté chez un antiquaire, à l'étranger, comme souvenir.

Roberts rouvrit son livre et reprit sa lecture. Il n'avait plus l'air mélancolique, maintenant qu'il faisait partie de la brillante cohorte de ceux que guette L'AVENTURE.

LA DAME DÉSOLÉE

Le timbre posé sur le bureau de Mr. Parker
Pyne grelotta doucement. Il décrocha le récep-
teur et dit:

— Qu'y a-t-il?

— Une jeune dame désire vous voir, répondit la secrétaire. Mais, elle n'a pas rendez-
vous.

— Vous pouvez la faire entrer...

Quelques secondes après, il accueillait sa visiteuse et la priait de s'asseoir. Elle était très
jeune et fort jolie; ses cheveux noirs ondulés
bouclaient sur son cou et elle était élégamment
vêtue. Mais elle paraissait inquiète.

— Vous êtes bien Mr. Parker Pyne?

— Certainement.

— C'est vous qui... faites insérer des annonces?

— Oui.

— Vous conseillez aux personnes qui ne sont
pas heureuses de venir vous voir?

— En effet.

Elle se décida!

— Je suis très malheureuse! Alors... je suis venue...

Son interlocuteur attendit la suite.

— Je... j'ai un affreux ennui...

Elle serra ses mains l'une contre l'autre.

— Voulez-vous m'expliquer de quoi il s'agit?

Elle ne paraissait pas décidée et dévisagea Parker Pyne avec attention. Puis, elle s'écria:

— Oui, je vais vous le dire... J'étais à moitié folle d'angoisse et ne savais que faire... puis, j'ai lu votre annonce. J'ai cru d'abord que c'était une plaisanterie; mais j'ai trouvé cette promesse encourageante... et je me suis dit qu'il n'y avait aucun inconvénient à me rendre compte. Je pouvais toujours inventer une excuse pour m'en aller si... si...

— Je comprends.

— Voyez-vous, il me faut... avoir confiance.

— Et, vous estimez que je le mérite? demanda le détective en souriant.

— C'est curieux, répondit-elle, sans avoir conscience de son impolitesse, je le crois; pourtant, je ne vous connais pas!

— Je puis vous affirmer que vous avez raison.

— Je vais donc vous exposer mon cas: je m'appelle Daphné Saint-John.

— Bien, Mademoiselle.

— Madame... je suis mariée.

— Ah! dit Parker Pyne, vexé de ne pas avoir remarqué l'anneau de platine qu'elle portait à la main gauche.

— Si je n'étais pas mariée, continua-t-elle, je serais moins tourmentée. C'est à cause de Gérald... Voici ce dont il s'agit:

Elle fouilla dans son sac, en sortit un objet et le jeta sur le bureau. C'était une bague ornée d'un gros solitaire.

Le détective la prit, s'approcha de la fenêtre, frotta le diamant sur la vitre, l'examina à l'aide d'une lentille de bijoutier et déclara:

— Ce diamant est magnifique et doit, à mon avis, valoir au moins deux mille livres sterling.

— Oui, mais je l'ai volé et je ne sais que faire!

— Juste Ciel! C'est inouï.

La jeune femme se mit à sangloter dans un minuscule mouchoir.

— Voyons, voyons, reprit Parker Pyne, tout s'arrangera.

Sa cliente s'essuya les yeux, renifla et dit:

— Vous croyez?

— Bien sûr. Maintenant, expliquez-vous?

— Voilà! J'étais à sec; je suis très dépensière et cela ennuie Gérald, mon mari. Il est beau-

coup plus âgé que moi et il a des idées... très
sévères... il considère les dettes comme infa-
mantes; alors, je ne lui ai rien dit, je suis allée
au Touquet avec des amis et j'ai pensé que si
je gagnais à la roulette, je pourrais payer mes
notes. J'ai gagné pour commencer, puis, j'ai
perdu, j'ai voulu me rattraper et... et...

— Inutile d'entrer dans les détails. Vous vous
êtes trouvée dans une situation encore plus
mauvaise... C'est bien cela?

Daphné Saint-John fit un signe affirmatif et
reprit:

— Je ne pouvais plus rien dire à Gérald qui
a horreur du jeu... Oh! j'étais affolée. Là-dessus,
nous sommes allés passer quelques jours chez
les Dortheimer, près de Cobham. Le mari est
immensément riche et la femme, Noémie, était
en pension avec moi. Elle est jolie et charmante.
Pendant que nous étions là-bas, le sertissage de
cette bague s'est relâché et, le jour où nous
devions partir, Noémie m'a demandé de la
porter chez son bijoutier pour la faire arranger...

La jeune femme s'interrompit et Parker Pyne
lui dit doucement:

— Je suppose que nous en venons au moment le plus délicat de l'affaire. Continuez,
Madame.

Elle répondit d'un ton suppliant:

— Vous n'en parlerez jamais, n'est-ce pas?

— Les confidences de mes clients sont sa-
crées. Du reste, vous m'en avez suffisamment
appris pour que je devine la fin.

— Sans doute... mais c'est tellement vilain
que cela m'ennuie d'en parler. Je suis partie
pour Bond Street... près de chez le joaillier, il y
a un autre magasin, chez Viro, où l'on... copie
les bijoux. J'ai brusquement perdu la tête: je
suis entrée, j'ai montré la bague et demandé
qu'on en fasse une excellente réplique, en ajoutant que je partais pour l'étranger et ne voulais
pas emporter de bijoux précieux. Les employés
ont paru trouver la chose très naturelle.

« On m'a donc livré une copie si bien imitée
qu'on ne pouvait voir la différence. Je l'ai envoyée à lady Dortheimer par paquet recommandé dans une boîte ayant la griffe de son
joaillier. Puis, j'ai... mis la véritable bague en
gage... (Elle se cacha la figure dans les mains et
murmura:) Comment ai-je pu agir comme une
voleuse de bas étage?

Parker Pyne toussota et dit:

— Je crois que vous n'avez pas achevé votre
récit...

— C'est vrai: tout ceci se passait il y a environ six semaines, j'ai payé toutes mes dettes
mais j'étais malheureuse. Puis, un de mes vieux
oncles est mort en me léguant une certaine
somme. J'ai immédiatement dégagé la véritable

bague... que voici. Seulement, une grave com-
plication s'est produite!

— Vraiment?

— Nous nous sommes brouillés avec les Dortheimer au sujet de quelques valeurs boursières
que sir Reuben avait fait acheter à mon mari.
Il a beaucoup perdu dessus et a exprimé sa
colère à Dortheimer... Aussi, je ne puis rendre
la bague!

— Ne pouvez-vous l'envoyer anonymement
à sa femme?

— Tout serait découvert. Elle ferait examiner
l'autre, constaterait qu'elle est fausse et devine-
rait ce que j'ai fait.

— Vous m'avez dit que vous étiez amies.
Pourquoi ne pas tout lui avouer et vous en
remettre à sa bonté?

La jeune femme secoua négativement la
tête.

— Nous ne sommes pas assez liées. Dès l'instant qu'il est question d'argent ou de joyaux,
Noémie est inflexible. Elle ne me dénoncerait
pas à la police puisque je lui rendrais sa bague,
mais elle en parlerait à tous nos amis et je
serais perdue de réputation. Gérald le saurait
et ne me pardonnerait jamais. Oh! c'est horrible!

Elle recommença à pleurer et haleta:

— J'ai beau réfléchir, je ne sais que faire!
Ah! Monsieur, pouvez-vous m'aider?

— Oui.

— Vraiment? Comment?

— Je vous avais proposé une solution simple parce que mon expérience m'a toujours démontré que ce sont les meilleures. Pourtant, je comprends vos objections. Actuellement, vous êtes la seule à connaître la situation?

— Vous la connaissez aussi.

— Moi, je ne compte pas. Donc, votre secret est bien gardé, il suffira d'échanger les bagues d'une manière discrète.

— Oh! c'est cela!

— Ce ne doit pas être difficile; il nous faut réfléchir...

La jeune femme interrompit Parker Pyne:

— Nous n'avons pas le temps! C'est bien ce qui m'épouvante! Lady Dortheimer va faire remonter le diamant.

— Comment le savez-vous?

— Tout à fait par hasard: je déjeunais avec une amie l'autre jour et j'admirais une belle émeraude qu'elle avait au doigt. Elle m'a dit que sa monture était très à la mode et que Noémie Dortheimer allait faire remonter son solitaire de la même façon.

— Par conséquent, il nous faut agir vite, répondit Mr. Pyne d'un air pensif.

— Oui, oui!

— Donc il est nécessaire de s'introduire dans la maison... mais pas en qualité de domestiques

car ils ont rarement la possibilité de toucher
aux bijoux. Pouvez-vous m'indiquer un moyen,
Madame?

— Lady Dortheimer donne une grande soirée mercredi et mon amie m'a appris qu'elle
cherche des danseurs de profession pour faire
un numéro. J'ignore si elle en a déjà trouvé...

— Je crois que je pourrais m'arranger... Si
elle a retenu des artistes, ce sera simplement
plus coûteux... Savez-vous où se trouve l'inter-
rupteur électrique central?

— Oui, car un plomb a sauté un soir alors
que les domestiques étaient couchés: dans une
boîte au fond du vestibule d'entrée...

A la demande du détective, Mrs. Saint-John
fit un léger croquis.

— Maintenant, lui dit-il, tout ira bien; ne
vous tourmentez plus. Que préférez-vous en ce
qui concerne la bague? Me la remettre ou la
garder jusqu'à mercredi?

— Il vaut peut-être mieux que je la garde...
quel sera votre prix?

— N'en parlons pas maintenant. Je vous
ferai savoir, mercredi quelles dépenses j'ai dû
engager.

Il escorta sa cliente jusqu'à la porte puis
actionna le timbre placé sur son bureau et dit
à sa secrétaire:

— Envoyez-moi Claude et Madeleine.

Claude Luttrell offrait le type accompli du bel
aventurier et Madeleine de Sara était la plus
séduisante des sirènes. Parker Pyne les regarda
avec plaisir et leur dit:

— Mes enfants, j'ai une mission à vous confier: vous serez de célèbres danseurs interna-
tionaux. Ecoutez-moi bien, Claude, et ne com-
mettez pas d'erreurs...

Lady Dortheimer était enchantée des prépa-
ratifs de son bal. Elle venait d'admirer la décoration florale, avait donné quelques dernières
instructions à son maître d'hôtel et affirmé à
son mari que tout paraissait réussi. Elle avait
éprouvé un léger désappointement en apprenant que Michael et Juanita, les danseurs du
cabaret de *L'Amiral Rouge*, ne pourraient pas
venir, Juanita s'étant foulé la cheville. Mais par
téléphone on lui avait promis le concours de
deux artistes qui avaient fait fureur à Paris. Ils
venaient d'arriver et leur numéro, une danse
de la révolution espagnole, avait eu un grand
succès. Elle fut suivie d'une exhibition ravissante de danses modernes.

Cette représentation achevée, les invités prirent part au bal et Jules, le danseur profession-
nel, implora la faveur d'une valse de la maîtresse de maison... Jamais elle n'avait eu de
plus parfait cavalier. Sir Reuben cherchait la
ravissante Sanchia, mais elle n'était pas dans
la salle de bal.

Elle se tenait dans le vestibule désert, les yeux
fixés sur sa petite montre de poignet.

— Il est impossible que vous soyez Anglaise,
murmurait Jules à l'oreille de lady Dortheimer.
Vous êtes la vraie fée de la danse. *Drouschka
Petrovka navarouchi!*

— Quelle est cette langue?

— Du Russe, répliqua-t-il. Je l'emploie pour
vous exprimer ce que je n'ose vous dire en
anglais.

Lady Dortheimer ferma les yeux... et, soudain
les lumières s'éteignirent. A la faveur de l'obscurité, Jules se pencha et baisa la main posée
sur son épaule puis, comme elle tentait de se
dégager, il s'en empara de nouveau et une
bague lui glissa dans les doigts.

Lady Dortheimer eut l'impression qu'une seconde à peine s'était écoulée avant que l'élec-
tricité ne revint. Jules souriait.

— Votre bague est tombée, dit-il. Vous per-
mettez? Il la lui remit au doigt et son regard
était éloquent.

Sir Reuben maugréait au sujet de la panne:

— Quelque imbécile a voulu faire une plaisanterie!

Mais sa femme ne l'écoutait pas. L'intermède
lui avait paru agréable.

Mr. Parker Pyne, en arrivant à son bureau

le jeudi matin, apprit que Mrs. Saint-John l'attendait.

— Faites-la entrer, ordonna-t-il.

— Eh bien? s'écria-t-elle aussitôt.

Il répondit:

— Vous êtes pâle!

— Je n'ai pas dormi... je me demandais...

— Voici ma petite note de frais: chemin de fer, costumes, cinquante livres pour Michael et Juanita... total, soixante-cinq livres, dix-sept shillings...

— Bien, bien... mais hier soir tout s'est-il arrangé?

Le détective la regarda avec surprise.

— Evidemment. Je croyais que vous l'aviez compris...

— Quel soulagement! Je craignais...

Il secoua la tête.

— Chez moi, l'échec est inconnu. Si je crois ne pas pouvoir réussir, je ne me charge pas d'une affaire. Quand j'accepte un travail, le succès est assuré.

— Alors, elle a retrouvé sa bague sans se douter de rien?

— Absolument! L'opération a été fort habilement menée.

Daphné soupira.

— Vous ne sauriez croire quel poids vous m'enlevez! Que disiez-vous au sujet des frais?

— Soixante-cinq livres, dix-sept shillings.

Elle ouvrit son sac, compta la somme. Le détective la remercia et lui donna un reçu.

— Mais, vos honoraires? murmura-t-elle.

— Je n'en demande pas cette fois.

— Oh! Monsieur, je ne puis accepter...

— Je n'accepte rien, ce serait contraire à mes principes. Et maintenant...

Avec un geste digne d'un prestidigitateur, il sortit une petite boîte de sa poche et la poussa vers Daphné qui l'ouvrit: le même anneau s'y trouvait...

— J'ai bien envie de jeter cette bague par la fenêtre, dit-elle.

— N'en faites rien, les passants seraient étonnés.

— Etes-vous bien sûr que ce diamant ne soit pas le vrai?

— Certain, celui que vous m'avez montré l'autre jour orne le doigt de lady Dortheimer.

— Donc, tout va bien! répondit Daphné en se levant gaiement.

— Je m'étonne que vous me posiez cette question. Certes, ce pauvre Claude n'est pas très intelligent et aurait pu faire erreur. Afin d'avoir une certitude, j'ai montré cette bague à un spécialiste ce matin...

Mrs. Saint-John se laissa brusquement tomber sur sa chaise.

— Oh! qu'a-t-il dit?

— Que ce diamant était fort bien imité

mais était faux. Vous voilà tranquille, n'est-ce pas?

Elle ouvrit la bouche pour parler, se tut et dévisagea Parker Pyne. Celui-ci murmura:

— Le chat qui a tiré les marrons du feu n'a pas eu un rôle agréable; je ne voudrais pas le faire jouer à mes employés... pardon! Vous disiez?

— Moi... rien.

— Bon. Je veux vous narrer une petite histoire qui a trait à une jeune blonde: elle n'est pas mariée, ne s'appelle ni Saint-John ni Daphné, mais Ernestine Richards et a été la secrétaire de lady Dortheimer... La monture d'une bague en diamant appartenant à cette dame s'est élargie et Miss Richards a été chargée de l'apporter à Londres pour la faire resserrer... C'est un peu ce que vous m'avez raconté, n'est-ce pas? Miss Richards a eu la même idée que vous et a fait copier le bijou... mais, prévoyante, elle a envisagé la possibilité que lady Dortheimer découvre la substitution. En ce cas, elle se souviendrait que son ancienne secrétaire avait porté la bague à Londres et la soupçonnerait...

« Alors? Je crois que Miss Richards est allée chez un coiffeur et s'est transformée en brune... Puis elle est venue me trouver, m'a montré la bague afin que je puisse constater sa valeur, ce qui m'empêchait d'avoir un doute. Ceci fait,

Miss Richards a préparé la substitution et elle a
porté le diamant chez le bijoutier qui l'a envoyé
à lady Dortheimer après avoir réparé la monture.

« Hier soir, la fausse bague a été remise en
hâte à Mr. Luttell en gare de Waterloo et je me
suis arrangé pour qu'un diamantaire de mes
amis prenne le train. Il a regardé le bijou et a
affirmé que c'était une excellente imitation.

« Vous comprenez, Madame? Quand lady
Dortheimer se serait aperçue de la substitution
elle se serait souvenue du charmant garçon qui
avait fait glisser l'anneau de son doigt pendant
la panne. Une enquête lui eût révélé que les
danseurs qu'elle avait retenus avaient été payés
pour ne pas aller chez elle. Si une piste condui-
sait la police jusqu'à mon cabinet, mon explication au sujet d'une Mrs Saint-John semble-
rait invraisemblable, lady Dortheimer ne con-
naissant personne de ce nom.

« Vous comprenez que je ne pouvais admettre cela? Aussi, mon ami Claude a-t-il remis au
doigt de lady Dortheimer *la bague qu'il lui
avait enlevée!*

Le sourire du détective n'était plus du tout
bienveillant.

— Comprenez-vous pourquoi je ne puis me
faire payer? Je m'engage à rendre mes clients
heureux mais n'ai rien fait pour vous en ce
sens! Un dernier mot: Vous êtes jeune et il est

possible qu'il s'agisse de votre première tentative de ce genre. Moi, je ne suis plus jeune et je ne manque pas d'expérience; je puis vous assurer que dans quatre-vingt-sept pour cent des cas, la malhonnêteté ne paie pas! Souvenez-vous-en!

La pseudo Mrs. Saint-John se leva d'un bond.

— Vieille brute! cria-t-elle. Vous m'avez fait payer des frais, vous m'avez induite en erreur...

Elle courut vers la porte.

— Vous oubliez votre bague, dit Parker Pyne en la lui tendant...

Elle la lui arracha, la regarda et la jeta par la fenêtre, puis elle s'enfuit en claquant la porte.

Le détective regarda par la fenêtre et déclara:

— C'est bien ce que je pensais: le camelot qui vend des journaux est stupéfait!

MORT SUR LE NIL

Lady Grayle était nerveuse. Dès l'instant où elle était montée sur le steamer *Fayoum*, elle s'était plainte: sa cabine ne lui plaisait pas. Elle pouvait supporter le soleil matinal mais pas celui de l'après-midi. Sa nièce, Paméla Grayle, lui avait obligeamment cédé sa cabine différemment exposée. Lady Grayle avait accepté de mauvaise grâce.

Elle se mit en colère contre son infirmière, Miss Mac Naughton, qui lui avait donné une écharpe qu'elle n'aimait pas et qui avait emballé son petit oreiller. Elle invectiva son mari, sir George, qui venait de lui acheter un collier. Elle voulait du lapis-lazuli, pas du corail et le traita d'imbécile.

Sir George répondit d'un air navré:

— Désolé, chère amie. Je vais aller changer le collier. J'ai encore le temps.

Elle n'invectiva pas Basile West, le secrétaire de son mari, car personne ne pouvait le faire.

Il avait un sourire désarmant. Ce fut l'inter-
prète, personnage important et richement vêtu
que rien ne troublait, qui supporta le poids de
sa fureur. Elle avait aperçu quelqu'un assis sur
le pont dans un fauteuil et, après avoir compris
que c'était un passager, elle s'emporta violemment:

— On m'avait affirmé au bureau de la Compagnie, que nous serions les seuls voyageurs.
La saison touche à sa fin et personne ne part
plus!

— Cela être vrai, répondit Mohammed. Vous,
votre suite et un seul autre Monsieur, c'est tout!

— Mais on m'avait promis que nous serions
seuls.

— C'est vrai, Dame.

— Non. Vous mentez! Qu'est-ce que cet
homme fait là?

— Lui être venu plus tard, Dame, après vous
prendre billets. Lui s'être seulement décidé ce
matin.

— C'est un abus de confiance!

— Tout très bien, Dame. Lui, très aimable
Monsieur, très tranquille.

— Vous êtes idiot et vous n'y connaissez rien!
Où êtes-vous, Miss Mac Naughton? Ah! vous
voilà! Je vous ai répété que vous deviez rester
auprès de moi! Je pourrais m'évanouir. Condui-
sez-moi vers ma cabine. Donnez-moi de l'aspirine et ne laissez pas approcher Mohammed! Il

ne sait que répéter: « Tout bien! » J'ai envie
de crier!

Miss Mac Naughton offrit son bras à lady
Grayle sans répondre. C'était une femme d'environ trente-cinq ans, grande, brune et assez
belle. Elle installa sa cliente dans la cabine,
l'entoura de coussins, lui fit prendre un cachet
d'aspirine et écouta ses doléances.

Lady Grayle avait quarante-huit ans et, depuis l'âge de seize ans, était écrasée par sa
grosse fortune. Elle avait épousé sir George,
noble ruiné, dix ans auparavant. Elle était
grande, avait de jolis traits mais son visage était
irritable, ridé et son maquillage exagéré accusait les ravages du temps et de la mauvaise
humeur. Ses cheveux avaient été tour à tour
décolorés et passés au henné ce qui les avait
desséchés. Elle était trop élégamment vêtue et
mettait trop de bijoux.

— Dites à sir George, conclut-elle tandis que
Miss Mac Naughton écoutait sans rien dire, qu'il
doit faire partir cet homme. Il me *faut* du calme,
après tout ce que j'ai enduré...

— Bien, lady Grayle, répondit l'infirmière
qui sortit de la cabine.

L'indésirable passager était toujours assis sur
le pont. Il tournait le dos à Louqsor et regardait, par-delà le Nil, les collines dorées qui sur-
plombaient une rangée d'arbres. Miss Mac

Naughton lui jeta un rapide regard inquisiteur
et s'éloigna.

Elle trouva sir George dans le fumoir; il tenait
à la main un collier qu'il regardait avec inquiétude.

— Croyez-vous que cette chaîne plaira à ma
femme?

— Elle est ravissante, répondit l'infirmière.

— Vous pensez qu'elle sera contente?

— Non, sir George, car *rien* ne lui plaît! Elle
m'a chargée d'une commission pour vous: elle
veut que vous la débarrassiez du passager sup-
plémentaire.

Sir George fit la grimace.

— Comment pourrais-je faire? Que dirais-je
à ce monsieur?

— Bien entendu, c'est impossible, déclara
Miss Mac Naughton d'une voix brève mais cor-
diale. Répondez simplement que vous n'avez
aucun moyen d'agir ainsi... Cela suffira, conclut-elle gentiment.

— Vous croyez?

Il avait l'air consterné et Elsie répondit encore
plus doucement:

— Ne prenez pas tous ces incidents trop à
cœur. Ce n'est qu'une question de santé.

— Vous trouvez lady Grayle vraiment malade.

Le visage de l'infirmière se rembrunit et sa
voix prit une étrange inflexion.

— Oui, je... je suis ennuyée de son état. Mais ne vous tourmentez pas autant, il ne faut pas...

Elle sourit avec bonté et s'éloigna.

Paméla entra, nonchalante et fraîche, vêtue de blanc.

— Holà! Mon oncle!

— Holà, ma petite.

— Oh! Que tenez-vous là? C'est ravissant!

— Je suis content que ce soit ton opinion. Crois-tu que ta tante la partagera?

— Elle est incapable d'admirer quoi que ce soit! Je ne comprends pas pourquoi vous l'avez épousée!

Grayle garda le silence tandis qu'une image faite de paris malheureux, de créanciers insistants et d'une belle, mais autoritaire, femme se déroulait dans sa mémoire.

— Pauvre vieux! reprit sa nièce. Je suppose que vous ne pouviez faire autrement. Mais elle vous rend la vie dure!

— Depuis qu'elle est malade... commença l'oncle.

Paméla l'interrompit:

— Elle n'est pas malade, car elle peut toujours faire ce qui l'amuse. Pendant que vous étiez à Assouan, elle était gaie comme un pinson. Je suis sûre que Miss Mac Naughton sait qu'elle joue la comédie.

— Que ferions-nous sans Miss Mac Naughton! soupira le baronet.

— Elle est très entendue, reconnut Paméla. Toutefois, je ne l'admire pas autant que vous, mon oncle! Car vous l'admirez! Ne dites pas le contraire! Vous la trouvez merveilleuse et elle l'est à certains points de vue... mais elle n'est pas franche et je ne sais jamais ce qu'elle pense... Pourtant, elle se débrouille très bien avec la vieille chatte!

— Ecoute! Tu ne dois pas parler ainsi de ta tante qui, en somme, est très bonne pour toi.

— Oui, puisqu'elle acquitte toutes nos factures... Mais elle nous rend la vie dure, je le répète.

Sir George entama un sujet bien pénible:

— Qu'allons-nous faire en ce qui concerne le type qui s'est embarqué? Ta tante veut que nous soyons seuls sur le bateau.

— Il faut qu'elle y renonce, répliqua la jeune fille.

— Cet homme est tout à fait correct; il se nomme Parker Pyne et je crois qu'il appartient à l'Enregistrement... mais ce qui est curieux, je m'imagine avoir déjà vu son nom quelque part... Basile, ajouta le baronet en s'adressant à son secrétaire qui venait d'entrer, où ai-je lu le nom de Parker Pyne?

— A la première page des annonces du *Times*, répondit aussitôt le jeune homme. « Etes-vous heureux? Autrement, consultez Mr. Pyne. »

— Pas possible! Comme c'est amusant,

s'écria Paméla. Nous allons lui raconter tous
nos ennuis avant d'atteindre le Caire.

— Je n'en ai pas, déclara Basile West. Nous
nous contenterons de voyager sur le Nil en-
chanté et de visiter des temples anciens...

Il jeta un coup d'œil rapide vers sir George
qui avait ouvert un journal et ajouta:

— ... Ensemble..., à voix basse.

Paméla affirma gaiement:

— Vous avez raison! La vie a du bon!

L'oncle était sorti, le visage de la jeune fille
s'assombrit et West demanda:

— Qu'avez-vous, ma chère?

— Mon horrible tante par alliance...

— Ne vous inquiétez pas, interrompit vivement le secrétaire. Qu'importe ce qu'elle s'imagine? Ne la contredisez pas... C'est du meilleur
camouflage.

La figure aimable de Parker Pyne se montra
à la porte du fumoir et, derrière elle, Mohammed récita:

— Mademoiselle, Messieurs, nous partons
dans un instant, nous passerons, sur la droite,
devant les temples de Karnak... Je vais vous
raconter l'histoire du petit garçon qui allait
acheter un chevreau rôti pour son père.

Mr. Parker Pyne s'épongeait le front; il venait

de visiter le temple de Dendera et il estimait
qu'une promenade à dos d'âne ne lui convenait
guère. Il s'apprêtait à changer de linge lorsqu'une enveloppe posée sur sa table de toilette,
attira son attention; il l'ouvrit et lut:

Cher Monsieur,
Je vous serais très obligée si vous renonciez
à visiter le temple d'Abydos et demeuriez sur le
bateau; je désire vous consulter.
Bien à vous.

Ariane GRAYLE.

Il sourit, prit une feuille de papier, dévissa
le capuchon de son stylo et écrivit:

Chère lady Grayle,
Je regrette de vous décevoir; mais étant en
vacances, je n'accepte aucune affaire profes-
sionnelle.

Il signa et fit porter sa lettre par un steward.
Il achevait de s'habiller quand une seconde enveloppe lui fut remise.

Cher Mr. Parker Pyne,
Je comprends fort bien votre désir de vacan-
ces; mais je suis disposée à vous donner cent
livres sterling pour une consultation.
Bien à vous.

Ariane GRAYLE.

Le détective dressa la tête puis, d'un air pensif, se frappa les dents avec le manche de son
stylo. Il avait envie de voir Abydos, mais cent
livres représentaient une jolie somme et ce
voyage en Egypte s'avérait beaucoup plus coûteux qu'il ne l'avait cru. Il écrivit donc:

Chère lady Grayle,
Je ne visiterai pas le temple d'Abydos.
Votre dévoué,

                              J. Parker Pyne.

Mohammed fut navré lorsqu'il refusa de des-
cendre à terre.

— Très joli temple! Tous les messieurs ce
temple veulent voir. Moi vous trouver voiture
en chaise et les matelots vous porter!

Mais Parker Pyne déclina ces offres allé-
chantes.

Les autres passagers quittèrent le bord et il
attendit sur le pont. La porte de la cabine de
lady Grayle s'ouvrit et la dame se montra. Elle
dit aimablement:

— Comme il fait chaud! Je vois que vous
avez eu le bon esprit de ne pas aller à terre.
Voulez-vous que nous prenions le thé ensemble
dans le fumoir?

Parker Pyne se leva aussitôt et la suivit. Il
était fort intrigué. Tout d'abord, sa cliente parut
ne pas savoir comment aborder le sujet et parla

de choses et d'autres... puis elle dit d'une voix sombre:

— Il s'agit d'une confidence très sérieuse. J'espère que vous le comprenez?

— Certainement.

Elle se tut, respira fortement. Il attendit.

— Je veux savoir si c'est mon mari qui m'empoisonne...

Parker Pyne n'avait rien envisagé de ce genre et ne cacha pas sa surprise:

— Voilà une grave accusation!

— Je ne suis pas une sotte et ne suis pas née d'hier. J'ai des soupçons depuis quelque temps: chaque fois que mon mari est absent, je me porte mieux; mes aliments ne m'incommodent pas et je me sens beaucoup moins faible. Il doit y avoir une raison?

— Ce que vous dites est fort sérieux, lady Grayle. Mais je ne suis pas policier, je suis, si vous voulez, un spécialiste du cœur...

Elle l'interrompit:

— Ne croyez-vous pas que je sois tourmentée? Ce n'est pas un policier qu'il me faut car je suis capable de me défendre. Mais je veux *savoir*. Je ne suis pas méchante et j'agis honnêtement envers ceux qui sont sincères vis-à-vis de moi. Un marché est un marché. Or, j'ai rempli mon rôle: j'ai payé les dettes de mon mari et ne l'ai pas privé d'argent.

Parker Pyne éprouva quelque pitié pour le baronet.

— Quant à la petite, je lui donne des toilettes, des distractions et tout ce qui lui plaît. Je ne demande qu'un peu de reconnaissance en échange.

— On ne peut la faire surgir à volonté.

— Allons donc! En tout cas, voilà! Trouvez la vérité et quand je saurai...

Parker Pyne la dévisagea:

— Et quand vous saurez, que ferez-vous?

— Cela me regarde!

Elle serra les lèvres.

Son interlocuteur hésita une minute; puis il reprit:

— Veuillez m'excuser, lady Grayle, si je vous dis qu'à mon avis, vous ne vous êtes pas montrée absolument franche en me parlant...

— C'est ridicule! Je vous ai expliqué ce que je désire savoir.

— Oui, mais pour quelle raison?

Leurs regards se croisèrent, lady Grayle baissa la tête.

— Il me semble qu'elle est limpide, murmura-t-elle.

— Non, car vous me cachez quelque chose.

— Quoi?

— Désirez-vous que vos soupçons s'avèrent vrais ou faux?

— Monsieur!

Lady Grayle se dressa indignée.

— Vous ne m'avez pas répondu!

— Oh!

Les mots parurent lui manquer et elle se hâta de sortir.

Une fois seul, Parker Pyne se plongea dans ses réflexions, à tel point qu'il sursauta quand quelqu'un vint s'asseoir en face de lui. C'était Miss Mac Naughton.

— Vous rentrez tôt, lui dit-il.

— J'ai dit que j'avais la migraine et suis revenue seule... (Elle hésita puis ajouta:) Où est lady Grayle?

— Allongée dans sa cabine, je pense. Vous n'êtes donc pas rentrée pour elle?

— Non; je voulais vous parler.

Parker Pyne fut très étonné. Il aurait cru que l'infirmière était tout à fait capable de résoudre ses difficultés toute seule. Elle ajouta:

— Depuis que nous sommes à bord, je vous ai étudié. Je crois que vous avez beaucoup d'expérience et un excellent jugement. Or, j'ai grand besoin d'un conseil.

— Pourtant, vous n'êtes pas de ces femmes qui en demandent! Je suppose que vous avez l'habitude de tabler sur vous-même.

— Oui, en général... Toutefois le cas est spécial... (Elle hésita de nouveau.) Je ne parle jamais de mes malades; mais en ce moment, je crois devoir le faire. Voyez-vous, Monsieur, quand j'ai quitté l'Angleterre avec lady Grayle, la situation était fort simple: ma cliente se portait bien, mais seulement trop de loisir et trop d'argent l'avaient — comme cela se produit souvent — désaxée. S'il lui avait fallu frotter le plancher chaque jour et s'occuper de cinq ou six enfants, elle eût été en parfaite santé et beaucoup plus heureuse.

Parker Pyne acquiesça.

— Dans les hôpitaux, nous voyons de nombreux malades imaginaires. Lady Grayle se complaisait dans ses malaises. Mon rôle consistait à ne pas faire fi de ses vapeurs, à agir avec tact... et à jouir moi-même du voyage.

— Très raisonnable.

— Oui... mais tout a changé: à présent, les souffrances de lady Grayle sont réelles...

— Que voulez-vous dire?

— J'en suis arrivée à croire qu'on l'empoisonne!

— Depuis quand?

— Trois semaines.

— Soupçonnez-vous quelqu'un?

Miss Mac Naughton baissa les yeux et sa voix manqua de conviction quand elle répondit:

— Non.

— Je crois au contraire que vous soupçonnez sir George Grayle.

— Non, oh! non! Je ne puis le croire! Il est si mélancolique, si ingénu! Il est impossible de

voir en lui en empoisonneur agissant de sang-
froid!

— Pourtant, vous avez remarqué qu'en son
absence, sa femme se porte mieux et que ses
souffrances coïncident avec son retour?

L'infirmière ne répondit pas.

— A votre avis, de quel poison s'agit-il. Ar-
senic?

— Oui ou Antimoine.

— Quelles mesures de précaution avez-vous
prises?

— J'ai fait de mon mieux pour vérifier les aliments et les boissons de lady Grayle.

Le détective approuva d'un signe et demanda:

— Croyez-vous qu'elle ait des soupçons?

— Oh! sûrement pas.

— Vous vous trompez: lady Grayle s'en
doute.

Miss Mac Naughton laissa voir sa surprise et
Parker Pyne reprit:

— Elle est beaucoup plus capable de garder
un secret que vous ne le croyez et elle sait fort
bien ne se confier à personne.

— J'en suis très étonnée...

— Je voudrais vous poser une dernière question. Est-ce que vous plaisez à lady Grayle?

— Je ne me le suis jamais demandé.

Ils furent interrompus par Mohammed qui
entra, souriant, sa longue gandoura flottant
derrière lui.

— La Dame elle sait vous être rentrée et vous demander! Elle dit: « Pourquoi vous pas venir la voir? »

Elsie se leva en hâte. Parker Pyne l'imita et murmura:

— Voulez-vous que nous en discutions de bonne heure demain matin.

— Oui; ce serait parfait. Lady Grayle s'éveille tard. D'ici là, je ferai grande attention.

— Je crois qu'elle sera prudente aussi.

Parker Pyne ne revit lady Grayle qu'à l'heure du dîner. Elle fumait une cigarette et brûlait une lettre; elle ne lui accorda pas la moindre attention d'où il conclut qu'elle était encore vexée.

Après le repas, il joua au bridge avec sir George, sa nièce et son secrétaire. Chacun paraissait quelque peu distrait de sorte que la partie s'acheva tôt.

Mr. Parker Pyne fut éveillé pendant la nuit par Mohammed:

— Vieille Dame très malade. Infirmière très peur. Moi essayer appeler docteur.

Le détective s'habilla en hâte et arriva dans la cabine de lady Grayle en même temps que Basile West. Sir George et Paméla étaient déjà à l'intérieur. Elsie Naughton s'affairait désespérément autour de la malade. Au moment où Parker Pyne entrait, la pauvre femme eut une

suprême convulsion, son corps se raidit et elle
retomba sur son oreiller.

Le détective entraîna doucement la jeune
fille dans la coursive.

— C'est affreux! haleta-t-elle. Est-elle...

— Morte? Oui, je crois que tout est fini.

Il confia Paméla à Basile. Sir George parut,
le visage bouleversé en murmurant:

— Je n'ai jamais cru qu'elle était vraiment
malade... jamais...

Parker Pyne l'écarta et pénétra dans la
cabine. Elsie Mac Naughton était blême. Elle
demanda:

— A-t-on appelé un médecin?

— Oui... C'est de la strychnine?

— Certainement, ces convulsions ne laissent
aucun doute. Oh! je ne puis y croire!

Elle se laissa tomber sur une chaise en sanglotant. Parker Pyne lui tapota l'épaule. Soudain, une idée le frappa... il sortit de la cabine
et courut vers le fumoir; un bout de papier
qui n'avait pas brûlé était encore dans un cen-
drier et on pouvait y déchiffrer quelques mots:

— ... *chet de rêves.*
Brûlez ceci!

— Voilà qui est intéressant, murmura le
détective.

Il était assis dans le bureau d'un haut fonctionnaire du Caire auquel il disait d'un air pensif:

— Vous avez donc des preuves?

— Oui, assez complètes. Cet homme doit être un imbécile!

— Je ne considère pas sir George comme une lumière.

— Vrai! Récapitulons: lady Grayle demande une tasse de bouillon, l'infirmière la lui verse mais elle veut qu'on y ajoute du sherry. Son mari va en chercher et, deux heures plus tard, lady Grayle succombe en présentant tous les signes d'un empoisonnement par la strychnine. On en trouve un paquet dans la cabine de sir George et un second dans la poche de son smoking.

— Voilà qui est complet, dit Parker Pyne. D'où provenait ce poison?

— Il n'y a aucun doute: l'infirmière en gardait pour le cas où lady Grayle aurait des palpitations... mais elle s'est contredite; elle a affirmé d'abord que sa provision était intacte, ensuite qu'on y avait touché.

— Cela ne paraît pas concorder avec sa nature!

— A mon avis, ils sont complices car ils ont un sentiment tendre l'un pour l'autre.

— C'est possible; mais si Miss Mac Naughton avait voulu commettre un crime, elle eût

agi beaucoup plus adroitement car elle est fort
avisée.

— Enfin, voilà mon opinion. Sir George n'a
aucune chance de s'en tirer.

— Bien, répondit le détective. Je vais voir ce
que je puis faire. Il se mit en quête de la jeune
nièce; elle était pâle et indignée:

— Mon oncle n'a pas fait une chose pareille!
s'écria-t-elle.

— Alors qui est le coupable?

— Savez-vous ce que je crois: *Elle s'est tuée!*
Elle était très bizarre depuis quelques temps et
se figurait des choses invraisemblables.

— Lesquelles?

— Par exemple, que Basile était amoureux
d'elle... Alors que lui et moi sommes fiancés!

— Je l'ai deviné, répondit Parker Pyne en
souriant.

— C'était de la pure imagination! Je crois
qu'elle en voulait à mon pauvre oncle, qu'elle
a inventé cette histoire d'empoisonnement, vous
l'a racontée puis a mis de la strychnine dans
sa cabine et dans sa poche et en a absorbé!
Cela arrive, n'est-ce pas?

— Oui; cependant, je ne crois pas que lady
Grayle l'ait fait... ce n'était pas son genre.

— Mais ses idées?

— J'ai envie d'en parler à Mr. West.

Le jeune homme était dans sa cabine et

répondit volontiers aux questions de Parker
Pyne.

— Je ne veux pas paraître fat, mais elle
s'était entichée de moi. C'est pourquoi je n'osais
lui avouer que j'aimais Paméla; elle m'eût fait
congédier par sir George.

— Vous supposez donc que Miss Grayle a vu
juste?

— C'est possible...

— Non... il faut trouver mieux... (Mr. Parker
Pyne réfléchit un instant puis ajouta): une con-
fession serait préférable... voulez-vous l'écrire?
conclut-il en tendant son stylo et une feuille de
papier au secrétaire.

Celui-ci le regarda avec stupeur.

— Que voulez-vous dire?

— Mon pauvre enfant, je sais tout, déclara
le détective d'un ton presque paternel: vous
avez fait la cour à la vieille dame, puis vous
vous êtes épris de la jolie nièce sans dot. Vous
avez ensuite combiné votre plan; un lent empoisonnement qui passerait pour une gastro-
entérite... autrement, on accuserait le mari
puisque vous aviez été assez adroit pour faire
coïncider les symptômes avec sa présence... Puis,
vous vous êtes aperçu que la pauvre femme
avait des soupçons et m'en avait parlé. Il fallait
agir vite! Vous avez dérobé de la strychnine
dans l'approvisionnement de Miss Mac Naughton. Puis, vous en avez mis dans la cabine de

sir George et dans sa poche, après avoir inséré
une dose mortelle dans un cachet que vous avez
envoyé à lady Grayle avec une lettre lui proposant un « cachet de rêves »... idée romanesque!
Elle le prendrait dès que l'infirmière serait
sortie et personne ne le saurait... toutefois, vous
avez commis une erreur, mon garçon! Il est
inutile de demander à une femme de brûler
certaines lettres car elle ne le fait jamais! J'ai
toute cette charmante correspondance, y compris celle où vous lui parlez du cachet.

Basile West était vert et ressemblait à un rat
pris au piège.

— Damnation! gronda-t-il. Vous êtes donc
au courant, maudit fouineur!

Parker Pyne échappa à une agression grâce
à l'entrée des témoins qu'il avait postés derrière le battant de la porte à moitié ouvert.

Le détective était à nouveau en conférence
avec son ami le haut fonctionnaire.

— Je n'avais pas l'ombre d'une preuve, à
part un fragment à demi calciné! Mais j'en ai
déduit toute l'affaire et la lui ai racontée. Cela
a réussi! Lady Grayle avait brûlé toutes ses lettres mais il *n'en savait rien*. C'était une femme
étrange! Quand elle est venue me parler, j'étais
très intrigué. En réalité, elle voulait me faire
dire que son mari l'empoisonnait car, alors, elle
serait partie avec le jeune West! Mais elle voulait agir honnêtement... Curieuse nature!

— Cette pauvre jeune fille va souffrir, répondit le haut fonctionnaire.

— Elle se consolera, répondit Parker Pyne froidement. Elle est jeune. Mais je souhaite que sir George connaisse un peu de bonheur avant qu'il ne soit trop tard. Il a été traité comme un mendiant depuis dix ans. Désormais, Elsie Mac Naughton modifiera son existence.

Il sourit puis ajouta:

— J'ai envie d'aller incognito en Grèce. Il me faut *vraiment* quelques jours de vacances!

LA DAME RICHE

La carte de Mrs. Abner Rymer fut remise à Mr. Parker Pyne. Ce nom lui était connu et il leva les sourcils... Un instant plus tard, la cliente était introduite dans le cabinet du détective.

C'était une grande femme, fortement charpentée, au corps peu harmonieux. Sa robe de velours et son beau manteau de fourrure ne lui conféraient aucune élégance. Elle avait de grandes mains aux lourdes jointures, le visage large, haut en couleur. Ses cheveux noirs étaient coiffés à la dernière mode et son chapeau s'ornait d'aigrettes.

Elle se laissa tomber sur une chaise, inclina très légèrement la tête et dit d'un ton rude:

— Bonjour! Si vous savez votre métier, vous me direz comment je puis dépenser mon argent!

— Voilà qui est original, murmura Parker Pyne. Peu de gens trouvent que c'est difficile... Est-ce vraiment votre cas, Madame?

— Oui. J'ai trois manteaux de fourrure, un

tas de robes venant de Paris et le reste. Je pos-
sède une belle auto, une maison dans Park
Lane, un yacht... mais je n'aime pas naviguer.
J'emploie plusieurs domestiques chics qui me
tournent en ridicule. J'ai voyagé, visité des pays
étrangers... et je ne sais plus que faire...

— Il y a les hôpitaux, dit le détective.

— Comment? Vous voulez parler de dona-
tions? Non: cet argent a été durement gagné et
si vous croyez que je vais le jeter au vent, vous
n'y êtes pas! Je veux le dépenser mais en tirer
de l'agrément. Si vous me donnez une bonne
idée, vous serez bien payé.

— C'est intéressant... Vous n'avez pas parlé
d'une propriété de campagne?

— J'avais oublié: j'en ai une mais je m'y
ennuie à mourir.

— Donnez-moi d'autres détails: votre cas
n'est pas facile à résoudre.

— Volontiers: je n'ai pas honte de mon ori-
gine. Etant jeune j'ai travaillé dans une ferme,
travaillé sans arrêt; puis j'ai fait la connaissance d'Abner qui était ouvrier dans une usine!
Il m'a courtisée pendant huit ans, puis je l'ai
épousé.

— Avez-vous été heureuse?

— Oui. Abner était très bon pour moi; mais
nous avions du mal à vivre. Il a été deux fois
en chômage et les enfants s'annonçaient; nous
en avons eu quatre, trois garçons et une fille,

mais aucun n'a atteint l'âge adulte... peut-être
la vie m'eût-elle apparu différente autrement...
(Son visage prit une expression plus douce, ce
qui la rajeunit.) Abner avait les poumons fai-
bles et n'a pas fait la guerre; mais il réussissait
dans son métier. Il est devenu contremaître et
a inventé un procédé de fabrication. Je dois
dire que ses chefs ont été généreux; on lui a
donné une jolie somme qu'il a consacrée à une
autre invention, ce qui a fait entrer beaucoup
d'argent chez nous. Il est devenu patron, a employé des ouvriers, acheté deux affaires qui
périclitaient et les a relevées. Le reste a été
facile; l'argent coulait à flots... il coule encore.

« Au début, j'étais ravie: j'avais une maison,
une salle de bains, des domestiques; je n'étais
plus obligée de faire la cuisine, de nettoyer, de
laver. Assise dans le salon, le dos appuyé sur
des coussins en soie, je sonnais, pour demander
le thé... comme une comtesse! Puis, nous sommes venus à Londres. Nous sommes allés à
Paris, sur la Côte d'Azur; j'étais habillée par
de grands couturiers!

— Et ensuite?

— Je suppose que nous nous y sommes habitués car, au bout d'un certain temps, cela ne
nous a plus fait plaisir! Il y avait des jours où
aucun menu ne nous tentait et où un bain
paraissait bien suffisant. Ensuite, la santé
d'Abner est devenue mauvaise. Nous avons

payé des médecins qui ont tout essayé; cela n'a
servi à rien... il est mort, encore jeune; il n'avait
que quarante-trois ans.

Parker Pyne prit un air compatissant. Mrs. Rymer continua:

— Il y a cinq ans de cela et l'argent continue
d'affluer. Il est navrant de ne pas en faire usage;
mais, ainsi que je vous l'ai dit, je n'ai plus rien
à désirer.

— En d'autres termes, vous vous ennuyez?

— Oui. Je n'ai pas d'amis. Mes nouvelles
relations veulent me gruger et se moquent de
moi derrière mon dos. Les anciennes me renient
car mon luxe les gêne... Pouvez-vous m'aider?

— Peut-être, répondit Parker Pyne lentement.
Ce sera difficile mais je crois que j'aurai une
chance de réussite et que je vous rendrai la
joie de vivre.

— Par quel moyen? interrogea-t-elle sèchement.

— C'est mon secret. Je ne divulgue jamais
ma méthode d'avance. Voulez-vous essayer? Je
ne vous garantis pas le succès mais je pense
vraiment l'obtenir.

— Combien cela me coûtera-t-il?

— Je serai obligé d'employer un système particulier qui sera cher. Je vous demanderai mille
sterling, payables d'avance.

— Vous y allez fort! Enfin, j'accepte car j'ai

l'habitude de payer de gros prix. Seulement,
je tiens à en avoir pour mon argent.

— N'ayez pas peur!

— Je vous enverrai un chèque ce soir, dit-elle
en se levant. Je ne sais pas pourquoi j'ai confiance en vous! On dit que les imbéciles se sépa-
rent facilement de leur argent... peut-être suis-
je une sotte! Vous avez de l'aplomb d'annoncer
dans tous les journaux que vous rendez les
gens heureux!

— Ces annonces me coûtent cher et si elles
se montraient inexactes, cet argent serait perdu.
Je *sais* d'où viennent les chagrins et, par conséquent, les dissiper.

Mrs. Rymer secoua la tête d'un air dubitatif
et s'en alla, laissant derrière elle un parfum
coûteux.

Le beau Claude Luttrell entra dans le bureau.

— Du travail pour moi? demanda-t-il.

Le détective secoua la tête.

— Ce n'est pas aussi simple; l'affaire est com-
pliquée et il va nous falloir courir quelques
risques. Nous allons employer des moyens peu
courants.

— A l'aide de Mrs. Oliver?

Parker Pyne sourit à cette allusion concernant
la célèbre romancière.

— Non, répondit-il, car elle est beaucoup
plus conventionnelle que nous. Je médite un

coup hardi et audacieux. Vous pourriez téléphoner au docteur Antrobus.

— A Antrobus?

— Oui, nous aurons besoin de lui.

Huit jours plus tard, Mrs. Rymer entrait à
nouveau dans le cabinet de Mr. Parker Pyne;
celui-ci se leva et dit:

— Je vous assure que ce délai a été nécessaire. Il a fallu prendre diverses dispositions et
je me suis assuré les services d'un homme
remarquable qui a traversé la moitié de l'Eu-
rope pour venir.

— Ah! dit-elle d'un air soupçonneux. Elle
n'oubliait pas qu'elle avait signé un chèque de
mille livres qui avait été encaissé.

Parker Pyne appuya sur un bouton. Une
jeune personne brune au type oriental, mais
vêtue en infirmière parut.

— Est-ce que tout est prêt, Sœur de Sara?

— Oui. Le docteur Constantin attend.

— Qu'allez-vous faire? interrogea Mrs. Rymer avec inquiétude.

— Vous mettre en contact avec la magie
orientale, chère Madame, répondit Parker Pyne.

Mrs. Rymer suivit l'infirmière à l'étage au-
dessus. La pièce où elle entra n'avait aucune
ressemblance avec les autres: des tentures somp-
tueuses couvraient les murs qui étaient garnis
de divans couverts de coussins brodés; de

somptueux tapis cachaient le parquet. Un homme se penchait sur une cafetière en métal ciselé.

— Le docteur Constantin, dit l'infirmière.

Il était vêtu à l'européenne, mais avait le visage basané, les yeux noirs et le regard perçant.

— Ah! Voici la malade? dit-il d'une voix basse et gutturale.

— Je ne suis pas malade, s'écria Mrs. Rymer.

— Pas de corps mais d'âme. Nous autres Orientaux savons guérir cela. Asseyez-vous et buvez une tasse de café.

Elle s'assit et accepta une petite tasse de l'odorant breuvage, tandis qu'elle buvait lentement, le médecin parlait:

— Ici, en Occident, on ne traite que le corps. C'est une erreur le corps n'étant qu'un instrument sur lequel on joue. La mélodie peut être triste et fatigante ou, au contraire, gaie et entraînante, c'est cette dernière que je veux vous faire entendre. Vous avez de l'argent... vous le dépenserez et en serez contente. La vie vous paraîtra de nouveau agréable. C'est facile... facile... facile...

Une langueur s'empara de Mrs. Rymer; elle aperçut le docteur et l'infirmière à travers un brouillard mais elle était heureuse et avait sommeil... le médecin devint très grand et le décor entier prit des proportions inhabituelles...

Constantin plongeait son regard dans le sien et répétait:

— Dormez! Vos yeux se ferment, le sommeil est proche, dormez... dormez.

Les paupières de Mrs. Rymer s'abaissèrent et elle crut flotter dans un univers merveilleux...

Quand elle s'éveilla, il lui sembla qu'un temps fort long s'était écoulé. Elle se souvint vaguement de plusieurs incidents... de rêves étranges... d'une auto et de la belle infirmière brune penchée sur elle.

Enfin, elle était maintenant réveillée et couchée dans son lit. Mais était-ce le sien? Elle n'en avait pas l'impression! Son lit était beaucoup plus doux. De vagues souvenirs d'un passé lointain montèrent en elle... elle bougea et le lit grinça, ce qui n'arrivait jamais dans sa maison de Park Lane.

Elle regarda autour d'elle: décidément, elle n'était pas chez elle. L'avait-on transportée dans un hôpital? Non... Elle n'était pas non plus dans un hôtel... La pièce était nue et les murs étaient vaguement teintés de mauve. Il y avait une table en sapin avec une cuvette et un pot à eau, une commode en bois blanc, une malle très ordinaire, des vêtements inconnus pendus à des patères. Le lit était recouvert d'un édredon très reprisé...

— Où suis-je? se demanda-t-elle.

La porte s'ouvrit et une petite femme replète

entra. Elle avait des joues rouges, un air de
bonne humeur. Ses manches étaient roulées jusqu'aux coudes et un grand tablier l'envelop-
pait.

— Ah! s'écria-t-elle, elle est éveillée! Entrez,
Docteur...

Mrs. Rymer ouvrit la bouche dans l'intention
de protester... mais elle se tut car l'homme qui
suivit la grosse inconnue, ne ressemblait en rien
à l'élégant docteur Constantin: c'était un vieillard voûté qui portait de grosses lunettes.

— Cela va mieux, dit-il en tâtant le pouls de
Mrs. Rymer. Vous serez bientôt guérie, mon
enfant.

— Que m'est-il arrivé? demanda-t-elle.

— Vous avez eu une espèce d'attaque et avez
perdu connaissance pendant deux jours. Ce
n'est pas grave.

— Vous nous avez fait une belle peur, Anna,
ajouta la femme. Vous battiez la campagne et
vous racontiez des choses extraordinaires...

— Oui, oui, Mrs. Gardner, interrompit le médecin. Mais il ne faut pas agiter la malade. Vous
serez bientôt debout, ma petite.

— Ne vous inquiétez pas pour votre travail,
Anna, reprit Mrs. Gardner. Mrs. Roberts est
venue me donner un coup de main et tout
s'est bien passé. Restez tranquille et guérissez,
ma chère!

— Pourquoi m'appelez-vous Anna?

— C'est votre nom, répondit la bonne femme étonnée.

— Pas du tout. Je m'appelle Amélia Rymer. Mrs. Abner Rymer!

Mrs. Gardner et le médecin échangèrent un regard.

— Restez couchée, dit la première.

— Oui, oui, ajouta le docteur. Surtout ne vous tourmentez pas!

Ils sortirent et elle demeura étendue, fort intriguée. Pour quel motif la nommait-on Anna et pourquoi ces deux personnes avait-elles échangé ce regard gaiement incrédule lorsqu'elle avait dit son nom? Où était-elle? Que s'était-il passé?

Mrs. Rymer se glissa hors du lit; elle vacillait un peu mais se dirigea lentement vers la petite lucarne et regarda. Elle aperçut... une cour de ferme! Absolument stupéfaite, elle regagna le lit. Que faisait-elle dans cette maison inconnue?

Mrs. Gardner reparut portant un bol de soupe sur un plateau et Mrs. Rymer l'interrogea:

— Pourquoi suis-je ici? Qui m'y a amenée?

— Personne, ma chère. Vous habitez avec nous depuis cinq ans... et je ne me suis jamais doutée que vous aviez ce genre de crises!

— *J'habite ici depuis cinq ans?*

— En effet? Voyons, Anna, vous n'allez

pas prétendre que vous ne vous souvenez de rien?

— Je n'ai jamais vécu ici! Je ne vous connais pas!

— Parce que vous avez été souffrante, vous avez oublié.

— Je n'ai jamais habité ici!

— Mais si!

Mrs. Gardner courut vers la commode et y prit une photographie encadrée, assez fanée, qu'elle apporta à la malade. Elle représentait un groupe de quatre personnes: un homme barbu, Mrs. Gardner elle-même, un grand garçon maigre qui souriait gaiement et une femme vêtue d'une cotonnade à fleurs et d'un grand tablier... Mrs. Rymer en personne!

Pendant qu'elle regardait la photo avec stupeur, Mrs. Gardner posa le bol de soupe à côté d'elle et sortit sans bruit.

Elle se mit à manger machinalement; le potage était bon, épais, bien chaud... mais sa tête tournait! Qui est-ce qui était folle? Mrs. Gardner ou elle-même? L'une des deux sûrement... Toutefois, il y avait le médecin...

— Je suis Amélia Rymer! dit-elle à haute voix. J'en suis sûre et personne ne peut me soutenir le contraire!

Ayant achevé la soupe, elle remit le bol sur le plateau et un journal plié attira son regard. Elle le prit, regarda la date: 19 octobre. Quel

jour était-elle allée au bureau de Mr. Parker
Pyne? Le 15 ou le 16... Donc, elle avait été
malade pendant trois jours...

« Maudit médecin! » pensa-t-elle avec colère.

Cependant, elle était un peu rassurée. Elle
avait entendu parler de personnes qui ne
s'étaient plus souvenues de leur nom pendant
des années et redoutait que ce fût son cas. Elle
se mit à tourner les pages du journal et, soudain, un paragraphe la frappa:

*Mrs. Abner Rymer, veuve d'Abner Rymer, le
« Roi du Bouton à tige » a été transportée hier
dans une clinique privée pour maladies men-
tales. Depuis deux jours, elle prétendait être
une domestique appelée Anna Moorhouse.*

— Anna Moorhouse! Voilà! Je suppose qu'il
s'agit d'une espèce de dédoublement! Nous
allons pouvoir tout arranger! Mais si cet hypo-
crite de Parker Pyne s'est livré à une combinai-
son louche...

Au même instant le nom de Constantin lui
sauta aux yeux dans un gros titre:

LES DÉCLARATIONS
DU DOCTEUR CONSTANTIN

*Au cours d'une conférence tenue hier soir par
le docteur Claudius Constantin, à la veille de
son départ pour le Japon, celui-ci a avancé de*

*saisissantes théories. D'après lui, il est possible
de prouver l'existence de l'âme en transférant
celle-ci d'un corps dans un autre. Pendant ses
expériences en Orient, il affirme avoir pu effec-
tuer un double transfert: l'âme d'une personne
hypnotisée, A, fut mise dans le corps de B et
vice versa. En sortant du sommeil hypnotique,
A déclara être B et B se crut devenue A.*

*Pour que l'expérience réussisse, il est néces-
saire de trouver deux personnes présentant une
grande ressemblance physique. Car, en ce cas,
elles sont en rapports psychiques. Les jumeaux
offrent la même particularité, mais on a découvert que deux êtres n'ayant aucun lien fami-
lial, appartenant à des milieux sociaux très
différents et ayant les mêmes traits s'harmoni-
sent entièrement.*

Mrs. Rymer rejeta le journal et s'écria:

— Le misérable! Le coquin!

Elle comprenait tout! On avait formé l'affreux projet de s'emparer de sa fortune! Cette
Anna Moorhouse était un jouet aux mains de
Parker Pyne... elle était peut-être innocente
mais lui et Constantin avaient monté cette fan-
tastique affaire!

Elle allait dénoncer ces bandits! Les faire
condamner! Elle raconterait partout...

L'indignation de Mrs. Rymer se calma car elle
se rappelait le premier article: Anna Moorhouse

n'était pas un instrument docile; elle avait pro-
testé, s'était nommée... et alors?

« La malheureuse est enfermée dans un asile
de fous! » pensa Mrs. Rymer en frémissant.

Un asile! Une fois entrée, on n'en sortait
jamais et plus on protestait, moins on était
écoutée! Elle ne voulait pas courir pareil danger. La porte s'ouvrit et Mrs. Gardner entra.

— Ah! bien, dit-elle, vous avez mangé votre
soupe. Vous ne tarderez pas à guérir.

— Quel jour suis-je tombée malade?

— Attendez... il y a trois jours, mercredi 15...
vers quatre heures de l'après-midi.

— Vraiment? répondit Mrs. Rymer d'un ton
pénétré. C'était le jour et même l'heure où elle
s'était retrouvée en présence du docteur Constantin.

— Vous vous êtes affaissée sur une chaise et
vous avez dit: « Oh! j'ai sommeil! » Puis vous
vous êtes endormie! Nous vous avons couchée,
nous avons appelé le docteur... et voilà!

— Je suppose que, sauf en me regardant,
vous ne pourriez pas dire qui je suis? hasarda
Mrs. Rymer.

— Vous êtes drôle! Comment reconnaître
quelqu'un autrement que par sa figure? Ah! il
y a aussi votre marque de naissance...

— Ma marque de naissance? fit vivement
Mrs. Rymer qui savait n'en pas avoir.

— Oui, cette fraise sous votre coude droit.
Vous vous rappelez bien...

« Je tiens une preuve », pensa la pauvre femme qui retroussa la manche de la chemise de
nuit... la fraise parut.

Elle éclata en sanglots.

Quatre jours plus tard, elle se leva. Elle avait
formé plusieurs projets et les avait tous écartés.

Elle pouvait faire lire l'article du journal à
Mrs. Gardner et à son médecin, leur expliquer...
Mais elle était sûre qu'ils ne la croiraient pas.

Elle pouvait aller au poste de police... Mais là
encore, on ne la croirait pas!

Elle pouvait se rendre chez Parker Pyne:
cette perspective lui plaisait! D'abord elle serait
satisfaite de dire à ce faux bonhomme ce
qu'elle pensait de lui... Mais un obstacle insur-
montable l'arrêta. Elle avait appris qu'elle se
trouvait en Cornouailles et n'avait pas l'argent
nécessaire pour aller à Londres: deux shillings
et quatre pence dans un vieux porte-monnaie
paraissaient représenter tout son avoir.

Aussi, au bout de quatre jours, Mrs. Rymer
prit-elle une résolution héroïque: elle allait se
plier à la situation, jouerait le rôle d'Anna
Moorhouse puis, quand elle aurait gagné assez
d'argent, elle irait à Londres et attaquerait
l'escroc dans son repaire!

Une fois décidée, Mrs. Rymer accepta sa nouvelle vie avec bonne humeur. L'histoire se répétait car elle se rappelait sa lointaine jeunesse!

Tout d'abord le travail lui sembla dur après tant d'années de vie facile; mais au bout de la première semaine, elle reprit les habitudes de la ferme.

Mrs. Gardner était une brave créature au caractère égal. Son mari, robuste et taciturne, était très bon. Le grand garçon maigre de la photo n'était plus là; il avait été remplacé par une autre ouvrier agricole, un brave géant de quarante-cinq ans, pas bavard et pas très malin mais dont les yeux bleus brillaient gentiment.

Le temps passa et, enfin, Mrs. Rymer se trouva posséder assez d'argent pour aller à Londres... mais elle remit son voyage.

Elle avait encore le temps et n'était pas rassurée au sujet des asiles d'aliénés. Parker Pyne était adroit, il la ferait enfermer comme folle par un médecin complice et nul ne saurait ce qu'elle deviendrait.

« De plus, pensait-elle, un changement d'air fait du bien. »

Elle se levait tôt et travaillait dur. Joe Welsh, l'ouvrier, tomba malade cet hiver-là et elle le soigna aidée de Mrs. Gardner.

Le printemps vint; il y avait des fleurs dans les prés et l'air était doux. Joe aidait Anna dans son travail et elle reprisait le linge du brave garçon. Le dimanche, ils allaient par-

fois se promener. Joe était veuf depuis quatre
ans et avouait qu'il avait, en conséquence, bu
parfois un peu trop. Mais il n'allait plus à l'au-
berge et il fit l'emplette de vêtements neufs. Le
ménage Gardner riait sous cape.

Anna taquinait Joe qui ne s'en formalisait
pas; il semblait timide mais ravi.

L'été succéda au printemps et se montra fer-
tile. Tous travaillèrent avec ardeur. Puis les
récoltes furent faites et les feuilles des arbres
tournèrent au rouge.

Le 8 octobre, Anna, qui coupait des choux,
leva la tête et vit Mr. Parker Pyne accoudé à la
barrière.

— Vous! s'écria-t-elle, espèce de...

Il lui fallut un certain temps pour exprimer
son opinion et, lorsqu'elle s'arrêta, elle était
hors d'haleine. Parker Pyne souriait aimablement.

— Je suis bien de votre avis, répondit-il.

— Oui, répéta Mrs. Rymer, vous êtes un
fourbe et un menteur, avec votre Constantin,
votre hypnotisme... et cette malheureuse Anna
Moorhouse, enfermée avec des dingues!

— Là, vous me jugez mal! Anna Moorhouse
n'est pas dans un asile... parce qu'elle n'a
jamais existé!

— Vraiment? J'ai vu sa photo!

— Elle était truquée! C'est très facile.

— Et les articles du journal?

— Le numéro était également truqué de manière à vous convaincre.

— Et ce misérable docteur Constantin?

— Son rôle a été joué par un mien ami qui a un grand talent d'acteur.

Mrs. Rymer haussa les épaules.

— Vous allez prétendre aussi que je n'ai pas été hypnotisée?

— Pas en réalité. Votre café contenait une décoction de chanvre indien... après quoi, on vous a fait prendre d'autres somnifères pour vous conduire en auto jusqu'ici où vous vous êtes réveillée.

— Alors, Mrs. Gardner était complice?

Le détective acquiesça.

— Je suppose que vous l'avez achetée? Ou que vous lui avez raconté un tas de mensonges.

— Elle a confiance en moi car j'ai, autrefois, évité le bagne à son fils unique.

Le ton de Parker Pyne fit taire son interlocutrice sur ce point. Elle reprit:

— Et la marque en forme de fraise?

Il sourit.

— Elle doit commencer à s'effacer, elle aura complètement disparu d'ici cinq mois.

— Mais pourquoi toute cette comédie? Vous vous êtes moqué de moi, vous m'avez amenée ici pour me changer en servante... alors que

j'avais tant d'argent en banque... Mais inutile
de vous poser cette question, mon bon Monsieur! Vous avez dû vous servir et c'est pour
cette raison...

— Il est exact, répondit Parker Pyne, que
vous m'avez, étant sous l'influence d'une dro-
gue, donné un pouvoir notarié et que pendant
votre... absence, j'ai dirigé vos affaires finan-
cières, mais je puis vous affirmer, chère Madame, qu'à l'exception des mille livres pas un
centime de votre argent n'est rentré dans ma
poche. En réalité, grâce à d'heureux placements
votre fortune s'est notablement accentuée.

— Alors, pourquoi... commença Mrs. Rymer.

— Je vais vous poser une question? Vous
êtes sincère et je suis sûr que vous me répondrez franchement: êtes-vous heureuse?

— Heureuse! Elle est bien bonne! Une femme à laquelle on vole son argent peut-elle être
heureuse? Vous avez de l'aplomb!

— Vous êtes toujours en colère et cela se
comprend! Mais laissez mes torts de côté un
moment: quand vous êtes venue me voir, il y
a un an, vous étiez triste. L'êtes-vous encore?
Dans l'affirmative, je vous ferai toutes mes
excuses et vous serez libre de me punir comme
vous l'entendrez; de surcroît, je vous rembour-
serai les mille livres que vous m'avez données.
Voyons, Madame, êtes-vous malheureuse?

Mrs. Rymer le dévisagea, baissa les yeux et murmura:

— Non... je reconnais que je n'ai jamais été aussi heureuse que je le suis maintenant depuis la mort d'Abner. Je... je vais épouser un homme qui travaille ici, Joe Welsh. Nos bans seront publiés dimanche... ou plutôt, ils *devaient* être publiés...

— Evidemment, déclara Parker Pyne, tout est changé...

Mrs. Rymer rougit violemment, fit un pas en avant et s'écria:

— Que voulez-vous dire? Supposez-vous que je deviendrais une grande dame si j'avais tout l'argent du monde? Je ne tiens pas à en être une! Ce sont des paresseuses! Joe est assez bien élevé pour moi et moi pour lui. Nous nous convenons et nous serons heureux! Quand à vous, l'intrigant, filez et ne vous mêlez pas de ce qui ne vous regarde pas!

Il sortit un papier de sa poche, le lui tendit et déclara:

— Voici votre pouvoir. Dois-je le déchirer? Je suppose que vous vous occuperez désormais de gérer votre fortune?

Une expression étrange passa sur le visage de Mrs. Rymer qui repoussa le document:

— Gardez-le. Je vous ai dit des choses dures... et vous les méritiez en partie. Vous êtes astu-

cieux mais je vous fais confiance. Déposez pour
moi sept cents livres dans la banque, ici. Cela
nous permettra d'acheter une ferme que nous
avons en vue. Quant au reste... donnez-le aux
hôpitaux.

— Vous n'allez pas leur faire cadeau de votre
fortune entière?

— Mais si. Joe est un bon et brave homme
mais il est faible. Une aussi grosse somme le
perdrait; je l'ai corrigé de la boisson et je ne
le laisserai pas retomber... Grâce au ciel, je sais
ce que je veux! Je ne vais pas permettre à l'argent de m'enlever le bonheur!

— Vous êtes une femme remarquable, dit
Parker Pyne. Il n'y en a pas une sur mille qui
agirait comme vous!

— Donc, une seule a du bon sens, répliqua
Mrs. Rymer.

— Je vous tire mon chapeau, reprit le détective d'une voix profonde.

Il salua gravement et s'éloigna. Mrs. Rymer
lui cria:

— Il ne faudra surtout pas que Joe l'ap-
prenne!

Elle resta debout, éclairée par le soleil couchant, un gros chou bleu-vert entre les mains,
la tête rejetée en arrière, les épaules bien droi-
tes... Une belle paysanne!

LE MARI MÉCONTENT

Un des meilleurs atouts de Mr. Paker Pyne était incontestablement son aspect bienveillant qui attirait la confiance. Il se rendait parfaitement compte qu'en entrant dans son bureau, ses clients étaient atteints d'une espèce de paralysie; il lui fallait donc les inciter aux confidences.

Ce matin-là, il était assis en face d'un nouveau client, un certain Reginald Wade qu'il avait jugé tout de suite comme étant peu communicatif. Il appartenait au genre d'hommes qui ont les plus grandes difficultés à exprimer ce dont ils souffrent.

Il était grand, solidement bâti, avait de beaux yeux bleus au regard aimable et un teint hâlé. Tout en regardant Parker Pyne d'un air triste, il tirait machinalement sur sa fine moustache.

— Vu votre annonce, dit-il brusquement. Ai pensé que je devrais venir vous voir... On ne sait jamais...

— Quand les choses vont mal, on est toujours prêt à courir sa chance, n'est-ce pas? répondit le détective.

— C'est cela, tout à fait cela... Je suis disposé à courir ma chance; tout va mal pour moi et je ne sais que faire car c'est diablement difficile.

— En ce cas, répondit Mr. Parker Pyne, c'est à moi d'intervenir, car, moi, je saurai quoi faire. Je suis le spécialiste de tous les ennuis moraux

— Oh! vous allez un peu fort!

— Non. Les soucis humains peuvent se diviser en quelques chapitres. La mauvaise santé. La mélancolie. Pour les femmes, les préoccupations que leur causent leurs maris. Pour les maris... l'inquiétude que leurs femmes leur font éprouver.

— Vous avez trouvé! C'est mon cas.

— Racontez-moi cela?

— Oh! c'est simple: ma femme veut divorcer pour en épouser un autre.

— C'est assez fréquent de nos jours. Si je comprends bien, vous ne tenez pas à le lui permettre?

— Je l'aime, répondit Wade.

Il s'était exprimé simplement, mais ce laconisme même était éloquent. Il ajouta:

— Que puis-je faire?

Parker Pyne le regarda d'un air pensif.

— Pour quelle raison êtes-vous venu me trouver?

Son interlocuteur se mit à rire avec gêne.

— Je ne sais trop... Vous comprenez, je ne suis pas intelligent et n'ai aucune imagination. J'ai pensé que... vous pourriez me donner une idée. J'ai six mois de répit car elle m'a accordé ce délai. Si elle n'a pas changé d'avis alors, j'accepterai le divorce. Ne pouvez-vous m'aider? Actuellement, tout ce que je fais l'agace!

« Vous comprenez, je ne suis pas cultivé; j'aime taper sur des balles en jouant au golf ou au tennis mais je ne m'intéresse ni à la musique, ni à l'art; ma femme est intellectuelle; elle adore la peinture, l'opéra, les concerts et s'ennuie avec moi. Cet autre type — il a les cheveux longs et il est poseur — s'y connaît en art et il sait en parler, moi pas! Jusqu'à un certain point, je comprends qu'une jolie femme instruite en ait assez d'un imbécile comme moi!

Parker Pyne gémit:

— Depuis combien de temps êtes-vous marié?... Neuf ans? Je suppose que vous avez adopté cette attitude tout de suite? Vous avez eu le plus grand tort, cher Monsieur! Ne vous sous-estimez jamais vis-à-vis d'une femme! Elle vous méprisera et vous le mériterez. Vous auriez dû faire étalage de vos prouesses sportives, qualifier la peinture et la musique de « stupidités qui plaisent à ma femme ». Vous devriez la plaindre de ne pas mieux jouer au tennis, etc...

L'humilité est une catastrophe dans un ménage! Aucune femme ne la supporte et il n'y a rien d'étonnant que la vôtre s'en soit lassée.

Wade le regarda avec stupeur.

— Alors, que dois-je faire à votre avis?

— La question est délicate. Il est trop tard pour agir comme vous eussiez dû le faire il y a neuf ans; il vous faut changer de tactique. Avez-vous jamais fait la cour à une autre femme?

— Jamais!

— C'est un tort; il faut commencer à présent.

Wade parut effaré.

— Oh! il me serait impossible...

— Vous n'aurez aucune difficulté à surmonter votre scrupule. Une de mes collaboratrices va s'occuper de vous; elle vous indiquera la marche à suivre et saura que votre amabilité ne signifie rien.

— Ah! bon, répondit Wade avec soulagement. Mais il me semble qu'Iris sera encore plus disposée à se débarrasser de moi!

— Vous ne comprenez rien à la nature humaine et, en particulier, à celle d'une femme. Actuellement vous êtes un laissé pour compte et Mrs. Wade n'a aucune considération pour un homme que nul ne lui dispute. Mais supposez qu'elle découvre que vous avez autant qu'elle envie de reprendre votre liberté?

— Elle sera enchantée.

— Elle devrait l'être, mais il n'en sera rien. De plus, elle constatera que vous plaisez à une femme séduisante qui n'a que l'embarras du choix. Votre cote remontera immédiatement car elle comprendra que toutes ses amies diront que vous vous êtes lassé d'elle et que vous voulez en épouser une plus charmante. Elle sera vexée.

— Croyez-vous?

— J'en suis sûr. Vous ne serez plus « ce pauvre vieux Reggie » mais « ce séducteur dissimulé. Ce sera très différent! Sans abandonner immédiatement son projet, elle essaiera de vous reprendre mais vous vous montrerez ferme et lui répéterez tous ses arguments: « Nous ne sommes pas faits pour vivre ensemble; mieux vaut nous séparer. » Vous ajouterez que, tout en reconnaissant la justesse de ses paroles alors qu'elle déclarait que vous ne l'aviez jamais comprise, il est également exact *qu'elle* ne *vous* a jamais compris... D'ailleurs, inutile d'entrer dans les détails maintenant. Au moment voulu, on vous donnera toutes les instructions nécessaires.

Le pauvre mari semblait encore dubitatif:

— Vous croyez vraiment que votre plan réussira?

— Je ne le garantis pas, répondit Parker Pyne avec prudence. Il est possible que votre femme soit tellement éprise de votre rival que rien ne

pourra vous la ramener; cependant, je ne le
crois pas. Elle s'est éloignée de vous par lassitude, une lassitude causée par le climat d'admiration et d'absolue fidélité dont vous avez eu
la maladresse de l'entourer. Si vous m'écou-
tez, je pense que vous avez quatre-vingt-dix-
sept chances sur cent de réussir.

— Parfait. J'accepte. A propos, que vous
dois-je?

— Deux cents guinées, payables d'avance.

Mr. Wade prit son chéquier.

Les jardins de Lorrimer Court étaient ravis-
sants sous le soleil. Iris Wade, étendue sur une
chaise longue y ajoutait une note exquise; elle
était vêtue d'un ensemble mauve dégradé et son
habile maquillage lui ôtait plusieurs années sur
les trente-cinq qu'elle possédait en réalité.

Elle causait avec une amie, Mrs. Massington,
et toutes deux se comprenaient à merveille,
étant affligées de maris qui ne parlaient que de
valeurs en bourse ou de golf.

— Qui est cette jeune personne? interrogea
Mrs. Massington.

Mrs. Wade haussa les épaules.

— Je n'en sais rien! C'est la petite amie de
Reggie, ce qui est très amusant! Vous savez qu'il
ne s'occupe jamais des femmes. Il est venu me
trouver, a bafouillé, hésité et m'a demandé d'inviter cette Miss de Sara pour le week-end. Je

n'ai pu m'empêcher de rire! Vous connaissez
Reggie! Bref, la voilà.

— Où l'a-t-il rencontrée?

— Je l'ignore; il s'est montré assez imprécis.

— Il la connaît peut-être depuis longtemps.

— Je ne crois pas. Bien entendu, je suis
enchantée car cela facilite la situation. Vous
comprenez, j'avais du chagrin au sujet de Reggie qui est un si brave homme. Je le répétais
sans cesse à Sinclair, car je craignais que mon
mari ait trop de chagrin. Il me répondait que
Reggie en prendrait son parti et il semble avoir
raison Il y a deux jours, Reggie était déses-
péré... et maintenant, il a invité cette jeune
femme. Ainsi que je vous le disais, cela
m'amuse et je suis ravie qu'il ait une distraction. Je crois que le malheureux pensait que je
serais jalouse! Quelle absurdité! « Bien sûr, lui
ai-je dit, fais venir cette dame. » Pauvre Reggie!
comme si une pareille élégante pouvait s'intéresser à lui! Elle s'en amuse tout simplement.

— Elle est fort séduisante, dit Mrs. Massington, et assez dangereuse. C'est le genre de
femme qui ne s'occupe que des hommes et je ne
pense pas qu'elle soit du meilleur monde.

— C'est probable, répondit Mrs. Wade.

— Elle a des robes ravissantes, reprit son
amie.

— Un peu trop exotiques, ne trouvez-vous
pas?

— En tout cas, fort coûteuses.

— Exagérément.

— Oh! les voici, annonça Mrs. Massington.

Madeleine de Sara et Reginald Wade traver-
saient la pelouse. Ils causaient, riaient et paraissaient très contents. Madeleine se laissa tomber
sur une chaise, enleva le béret qu'elle portait
et passa la main sur ses belles boucles brunes;
elle était incontestablement superbe.

— Nous avons passé un exquis après-midi!
s'écria-t-elle. Mais j'ai bien chaud. Je dois être
laide à faire peur!

Wade tressaillit en reconnaissant le mot d'ordre et balbutia:

— Vous êtes... vous êtes... (Il fit entendre un
petit rire et conclut:) Je ne veux pas achever...

Madeleine le regarda et parut fort bien comprendre, ce que Mrs. Massington nota aussitôt.

— Vous devriez jouer au golf, dit Miss de
Sara en s'adressant à son hôtesse. Vous perdez
beaucoup. J'ai une amie qui s'y est mise, a fait
de grands progrès et elle était pourtant bien
plus âgée que vous.

— Ce genre de distractions ne m'intéresse
pas, répondit froidement Iris Wade.

— N'y réussissez-vous pas? C'est navrant!
On se sent tellement en dehors des passe-temps
modernes. Mais, de nos jours, on peut avoir de si

bonnes leçons qu'on peut arriver à jouer correctement. J'ai fait de grands progrès en tennis l'été dernier... mais je n'y parviens pas en golf.

— Allons donc! dit Wade. Vous n'avez besoin que d'un peu d'entraînement. Vous avez admirablement exécuté les coups d'envoi tout à l'heure.

— Grâce à votre technique. Vous êtes un merveilleux professeur! Il y a tant de gens qui ne savent pas enseigner... mais vous avez ce talent et je vous envie... vous pouvez tout faire!

— Pas du tout, je ne suis bon à rien, murmura Reggie, confus.

— Vous devez être très fière de votre mari, continua Madeleine en se tournant vers Mrs. Wade. Comment êtes-vous arrivée à le monopoliser pendant tant d'années? Vous devez être fort adroite... à moins que vous ne l'ayez mis sous clé?

Iris ne répondit pas et ramassa son livre d'une main tremblante. Reggie murmura qu'il allait changer de costume et s'éloigna.

Miss de Sara reprit:

— Que vous êtes gentille de m'accueillir chez vous! Il y a des femmes qui se méfient des amies de leurs maris. Je trouve la jalousie ridicule... et vous?

— Moi aussi. Je n'aurais jamais l'idée d'être jalouse de Reggie.

— C'est merveilleux! Car il est évident qu'il plaît aux femmes. J'ai éprouvé un choc désagréable en apprenant qu'il était marié. Pourquoi tous les hommes séduisants sont-ils ligotés aussi jeunes?

— Je suis enchantée que vous trouviez mon mari attrayant.

— C'est qu'il l'est! Si beau garçon et si excellent sportif! De plus le dédain qu'il prétend éprouver pour les femmes ne peut que les attirer!

— Je suppose que vous avez beaucoup d'amis masculins? demanda Iris.

— Mon Dieu, oui. Je les préfère aux femmes car elles ne sont jamais aimables envers moi... je ne comprends pas pourquoi...

— Peut-être, l'êtes-vous trop envers leurs maris, dit Mrs. Massington en riant.

— C'est que je plains certains hommes; il y en a de charmants qui sont nantis d'épouses si ternes! Il est normal qu'ils veuillent pouvoir parler à des femmes jeunes et gaies. A mon avis, les idées modernes sur le divorce sont raisonnables. Recommencer à vivre pendant qu'on est encore jeune, avec quelqu'un qui partage les mêmes goûts et les mêmes idées... Cela vaut mieux pour tous car je pense que les intellectuelles mettent la main sur des individus aux cheveux trop longs qui leur plaisent. Mieux vaut se résigner à son échec et repartir sur nouveaux frais. Ne trouvez-vous pas que c'est raisonnable, Mesdames?

— Certainement.

Madeleine parut se rendre compte que l'atmosphère avait baissé de plusieurs degrés; elle balbutia qu'il lui fallait s'habiller pour le thé et quitta le jardin.

— Ces jeunes filles modernes sont détestables, déclara Mrs. Wade. Elles n'ont aucune idée dans le cerveau.

— Celle-ci en a une, Iris, répliqua Mrs. Massington. Elle est éprise de Reggie.

— Allons donc!

— Mais si. J'ai vu comment elle le regardait tout à l'heure. Peu lui importe qu'il soit marié; elle veut l'épouser. C'est dégoûtant!

Mrs. Wade garda le silence un instant puis elle rit un peu et déclara:

— En somme, cela m'est égal.

Elle ne tarda pas à monter dans sa chambre. Son mari était dans le cabinet de toilette et chantait gaiement.

— Tu t'amuses, mon ami? lui demanda-t-elle.

— Oh!... oui, assez.

— J'en suis contente. Je veux que tu sois heureux.

— Je le suis.

Reggie Wade ne savait guère jouer la comédie mais son embarras le servit. Il évita de regarder

sa femme et sursauta quand elle reprit la
parole; il était honteux et cette comédie lui
répugnait; il offrait l'image même de la cul-
pabilité.

— Depuis quand la connais-tu? interrogea
brusquement Iris.

— Heu... qui cela?

— Miss de Sara, évidemment.

— Je... ne sais pas trop... il y a quelque
temps.

— Vraiment? Tu ne m'en avais jamais parlé.

— Crois-tu? J'ai dû oublier.

— Oh! oublier! riposta Mrs. Wade qui s'éloigna dans un tourbillon de draperies mauves.

Après le thé, Wade fit visiter la roseraie à
Madeleine et ils s'éloignèrent, certains que
deux regards les suivaient de loin.

— Ecoutez, dit Reggie, quand ils furent loin,
je crois qu'il va falloir renoncer à cette comédie.
Ma femme m'a dévisagé avec haine.

— Ne vous tourmentez pas. Tout va bien.

— Est-ce votre avis? Je ne veux pas la pousser à bout. Elle m'a dit plusieurs méchancetés
pendant le goûter.

— Tout va bien, répéta Miss de Sara. Vous
jouez admirablement votre rôle.

— Croyez-vous?

— Oui... (Elle continua plus bas:) Votre
femme tourne le coin de la terrasse pour voir
ce que nous faisons. Embrassez-moi.

— Oh! balbutia Wade. Le faut-il? Je veux dire...

— Embrassez-moi! répéta vivement Madeleine.

Il s'exécuta sans élan mais sa partenaire y remédia: elle lui jeta les bras autour du cou et il fut anéanti.

— Oh! murmura-t-il.

— Cela vous a-t-il été très désagréable?

— Bien sûr que non, répondit-il galamment. Je... j'ai été surpris... Pensez-vous que nous soyons restés ici assez longtemps?

— Oui, nous y avons fait du bon travail.

Ils retournèrent sur la pelouse et Mrs. Massington leur apprit que la maîtresse de maison était allée s'étendre.

Un peu plus tard. Wade vint rejoindre Madeleine; il était consterné et il lui dit:

— Elle est dans un état affreux! Elle a des crises de nerfs!

— C'est parfait.

— Elle m'a vu vous embrasser...

— C'était bien ce que nous espérions.

— Je le sais mais je ne pouvais pas le lui dire! Je ne savais que répondre... j'ai dit que... c'était par hasard.

— Très bien.

— Elle m'a déclaré que vous cherchiez à m'épouser et que vous ne valiez pas grand-

chose! Cela m'a bouleversé car c'est tellement
injuste alors que vous agissez par devoir. Je
lui ai répondu que j'avais le plus grand respect
pour vous, que ce qu'elle disait était absolument faux et, quand elle a continué, je me
suis mis en colère.

— Admirable!

— Alors, elle m'a dit de sortir car elle ne
veut plus me parler; elle m'a menacé de faire
ses malles et de partir.

Madeleine sourit:

— Vous n'avez qu'à déclarer que c'est vous
qui allez gagner Londres.

— Mais je n'y tiens pas!

— Vous n'y serez pas obligé. Votre femme
n'a aucune envie que vous alliez vous distraire
en ville.

Le lendemain matin, Wade mit Madeleine au
courant des dernières nouvelles.

— Elle a dit qu'elle a réfléchi et que, puisqu'elle s'est engagée à rester six mois, il ne
serait pas loyal qu'elle s'en allât maintenant.
Mais que, puisque je fais venir mes amies, elle
peut inviter les siens... et elle écrit à Sinclair
Jordan.

— Est-ce *lui*?

— Oui et je ne le veux pas chez moi!

— Il le faut, affirma Miss de Sara. Ne vous
tourmentez pas; je m'en occuperai. Déclarez
qu'après tout vous n'y voyez aucun inconvé-

nient et que, dans ces conditions, elle n'en verra
pas à ce que je prolonge mon séjour.

— Mon Dieu! soupira Wade.

— Ne perdez pas courage! Tout va pour le
mieux. Encore une quinzaine et vos soucis
seront loin.

— Dans quinze jours? Vous croyez?

— J'en suis sûre.

Une semaine plus tard, Madeleine de Sara
entra dans le bureau de Mr. Parker Pyne et se
laissa tomber dans un fauteuil avec lassitude.

— Salut, Reine des Vamps! lui dit-il en souriant.

— Des vamps! répondit-elle tristement. Quel
métier! Cet homme est obsédé par sa femme!
C'est un envoûtement!

— Evidemment, répliqua le détective. Cela
rend notre mission plus facile car, ma chère
enfant, je n'exposerais pas n'importe qui à votre
séduction!

Elle se mit à rire.

— Si vous saviez quelle difficulté j'ai eue à
me faire embrasser par lui!

— Voilà qui a dû vous sembler étrange!
Enfin, votre mission est-elle accomplie?

— Oui, je crois que tout va bien. Il y a eu
une terrible scène hier soir... Voyons, mon dernier rapport date de trois jours?

— En effet.

— Ainsi que je vous l'ai déjà écrit, je n'ai eu qu'à regarder cet affreux Sinclair Jordan pour le faire ramper à mes pieds... d'autant que mes toilettes lui ont donné à croire que j'étais riche. Bien entendu, Mrs. Wade était furieuse de voir ses deux hommes s'occuper de moi. J'ai montré lequel je préférais en me moquant de Jordan devant elle; j'ai tourné ses vêtements et sa coupe de cheveux en ridicule et fait observer qu'il avait les genoux cagneux.

— Excellente technique! dit Paker Pyne.

— Tout a explosé hier soir: Mrs. Wade m'a accusée de détruire son ménage. Son mari ayant fait allusion à son flirt avec Jordan, elle a déclaré qu'elle y avait été poussée par le chagrin et la solitude. Depuis quelque temps, elle avait eu à se plaindre de l'indifférence de Reggie sans savoir quelle en était la cause. Elle a ajouté qu'elle avait toujours été parfaitement heureuse, qu'elle l'adorait, qu'il le savait et qu'elle ne tenait qu'à le garder.

— J'ai répliqué qu'il était un peu tard! Wade a parfaitement joué son rôle! Il a répondu que peu lui importait car il m'épouserait. Sa femme ne tarderait pas à avoir son Sinclair vu que la procédure de divorce pouvait être entamée tout de suite et qu'il serait absurde d'attendre six mois!

« Il a ajouté qu'il lui fournirait le motif nécessaire d'ici quelques jours et qu'elle pourrait alerter son avocat. Il a crié qu'il ne pouvait plus vivre sans moi! Alors sa femme s'est frappé la poitrine, a parlé de sa maladie de cœur et il a fallu lui faire boire du cognac... mais Wade ne s'est pas ému. Il est parti pour Londres, ce matin et je jurerais qu'elle l'a suivi.

— Tout va donc pour le mieux, dit Parker Pyne avec satisfaction. Cette affaire est une réussite...

La porte s'ouvrit brusquement et Reginald Wade parut.

— Est-elle ici? demanda-t-il. (Puis, apercevant Madeleine, il s'écria:) Oh! Chérie! et lui saisit les deux mains. Vous avez deviné, hier soir, que je disais la vérité? Je ne comprends pas pourquoi j'ai été aveugle aussi longtemps! Mais depuis trois jours, je sais ce qu'il en est!

— Quoi donc? balbutia-t-elle.

— Que je vous adore et qu'aucune autre femme ne compte plus pour moi! Iris pourra divorcer et quand je serai libre, vous m'épouserez, n'est-ce pas? Promettez-le, Madeleine! Je vous aime tant!

Il la saisit à bras-le-corps et, au même instant, la porte se rouvrit pour laisser passer une femme maigre, mal habillée.

— J'en étais sûre! cria-t-elle. Je t'ai suivi! Je savais que tu la rejoindrais!

— Je vous assure... commença le détective quand il fut revenu de sa stupeur.

Mais Mrs. Wade n'en tint pas compte; elle continua:

— Oh! Reggie, tu ne veux pas me briser le cœur! Reviens! Je ne te ferai aucun reproche! J'apprendrai à jouer au golf... je ne recevrai personne qui te déplaise... au bout de tant d'années pendant lesquelles nous avons été si heureux ensemble...

— Je commence seulement à l'être, répliqua Wade en contemplant Madeleine. Tu voulais épouser cet idiot de Jordan! Epouse-le!

Iris poussa un cri:

— Je le déteste! Il me fait horreur!

Puis se tournant vers Miss de Sara, elle hurla:

— Mauvaise femme! Vampire! Vous m'avez volé mon mari!

— Je n'en veux pas! riposta Madeleine.

— Chérie! supplia Wade au désespoir.

— Allez-vous-en!

— Mais je suis sincère, je vous le jure...

— Partez! répéta Madeleine exaspérée.

Reggie se dirigea vers la porte de mauvaise grâce et affirma:

— Je reviendrai! Vous me reverrez!

Il sortit en claquant le battant.

— Les créatures de votre espèce devraient être marquées et fouettées, vociféra Iris. Reggie était un ange avant de vous rencontrer. A présent, il est tellement changé que je ne le reconnais pas!

Elle courut après son mari en sanglotant.

Miss de Sara et Mr. Parker Pyne se regardèrent et la première dit d'un ton navré:

— Je n'y puis rien! C'est un excellent homme... mais je ne veux pas l'épouser! Je ne me doutais pas... Si vous saviez avec quelle difficulté je l'ai obligé à m'embrasser!

— Ah! répondit le détective, je regrette de l'avouer mais j'ai commis une erreur de jugement...

Il secoua tristement la tête, attira vers lui le dossier Wade et y traça ces phrases:

ECHEC... dû à des causes naturelles.

N.-B. Elles auraient dû être prévues.

LA PERLE DE GRAND PRIX

Le groupe des touristes avait passé une longue journée fatigante. Partis d'Amman le matin de bonne heure par une température écrasante, ils venaient juste d'atteindre, au crépuscule, le camp qui s'élève au milieu de la ville rocheuse de Pétra.

Ils étaient sept: le gros magnat américain Caleb P. Blundell, son beau secrétaire brun et taciturne Jim Hurst, sir Donald Marvel, membre du Parlement anglais, qui semblait fatigué. Le docteur Carver, archéologue de réputation mondiale. Un bel officier français, le colonel Dubosc. Mr. Parker Pyne, dont la profession était mal définie, mais qui offrait l'aspect de la loyauté britannique. Enfin, Miss Carol Blundell, jolie fille manifestement choyée et très sûre d'elle.

Ils dînèrent tous dans la grande tente après avoir choisi les abris où ils dormiraient. Ils s'entretenaient de la politique du Proche Orient, le

député anglais avec circonspection, le français
avec tact, l'américain avec quelque vantardise.
L'archéologue, Parker Pyne et Jim Hurst se tai-
saient. Puis, ils parlèrent de la ville qu'ils
venaient de visiter.

— Elle est par trop romantique! déclara la
jeune fille. Quand on pense que ceux qui y
habitaient... les Nabatéens, je crois, existaient
presque avant le début du monde!

— Pas tout à fait, répondit Parker Pyne en
souriant. N'est-ce pas, docteur Carver?

— Oh! cela ne nous reporte guère qu'à deux
mille ans en arrière. Si on considère les gangsters comme des gens romantiques, on peut leur
comparer les Nabatéens. C'étaient de riches
bandits qui obligeaient les voyageurs à
emprunter certaines routes et rendaient les
autres dangereuses. Pétra était l'entrepôt de
leurs rapines.

— Vous croyez que c'étaient de simples
voleurs? demanda Carol.

— Le mot voleur est moins romanesque. Un
bandit évoque un homme de plus grande enver-
gure.

— Et le financier moderne? dit Parker Pyne
en clignant de l'œil.

— Une pierre dans ton jardin, p'pa.

— L'homme qui gagne de l'argent est un
bienfaiteur de l'humanité, déclara Blundell
d'un air important.

— L'humanité est tellement ingrate! murmura le détective.

— Qu'est-ce que l'honnêteté? demanda le Français. Une nuance, une convention. Suivant les pays, le mot a un sens différent. L'Arabe n'a pas honte de voler ni de mentir. Pour lui, ce qui compte c'est celui auquel il a menti ou qu'il a volé.

— En effet, telle est leur position, dit Carver.

— Ce qui prouve la supériorité de l'Occident sur l'Orient, déclara Blundell. Quand ces pauvres gens reçoivent quelque éducation...

Sir Donald prit part à la conversation avec lassitude:

— L'éducation est bien surfaite. Elle apprend une masse de choses inutiles aux hommes... Rien ne modifie la nature.

— Comment?

— A mon avis, un voleur sera toujours un voleur.

Un lourd silence tomba. Puis, Carol se mit à parler des moustiques avec volubilité et son père la soutint.

Sir Donald, assez étonné, murmura à l'oreille de son voisin, Parker Pyne:

— On jurerait que j'ai gaffé?

— C'est bizarre, répondit le détective.

Une des personnes présentes n'avait rien remarqué: l'archéologue, pensif, le regard loin-

tain ne disait rien. Mais l'arrêt de la conversation l'incita à parler:

— Je suis de votre avis, tout au moins pour
l'inverse: un homme est ou n'est pas foncière-
ment honnête.

— Vous ne croyez pas, demanda Parker
Pyne, qu'une tentation puisse changer un honnête homme en malfaiteur?

— Impossible!

Le détective hocha doucement la tête.

— Je ne crois pas. Tant de facteurs peuvent
se présenter. Par exemple, la paille dans l'acier.

— Que voulez-vous dire? interrogea le jeune
Hurst qui n'avait pas encore ouvert la bouche.
Il avait une voix grave au timbre sympathique.

— Ceci: Le cerveau est réglé de manière à
supporter un certain poids. Ce qui précipite une
crise peut-être insignifiant. C'est pourquoi la
plupart des crimes sont absurdes car il a suffi
d'un rien pour les faire commettre.

— C'est de la psychologie, fit observer l'officier français.

— Si les criminels étaient psychologues,
reprit Parker Pyne, comme ils seraient forts!
Quand on pense que sur dix personnes, neuf
peuvent être sous une influence déterminée,
amenées à vous obéir.

— Expliquez-vous! s'écria la jeune fille.

— Il y a d'abord, l'homme facile à intimider:
si on lui parle avec colère, il obéit. Puis, il y a

celui qui a le culte de la contradiction et qui fait l'opposé de ce qu'on lui conseille. Enfin — et c'est le type le plus répandu — l'homme qui se laisse suggestionner. Il a *vu* une auto parce qu'il a entendu un klaxon, ou un facteur s'il entend toucher à la boîte aux lettres; il *voit* un poignard dans une plaie si on lui dit que l'homme a été frappé et il perçoit une détonation si on lui parle d'un coup de feu.

— Je suis sûre qu'on ne pourrait pas me faire croire de telles choses, affirma Carol.

— Tu es trop intelligente, chérie, dit son père.

— Ce que vous venez de dire est fort juste, reconnut le Français en s'adressant à Parker Pyne. L'idée préconçue oblitère le raisonnement.

Miss Blundell bâilla et annonça:

— Je suis fatiguée et je vais gagner ma caverne. Abbas Effendi nous a prévenus qu'il fallait partir de bonne heure demain. Il va nous conduire au lieu des sacrifices... je ne sais trop de quoi il s'agit.

— C'est l'endroit où l'on met à mort de belles jeunes personnes, expliqua sir Donald.

— Juste ciel! Bonsoir tout le monde. Oh! j'ai perdu une boucle d'oreille!

Le colonel Dubosc ramassa le bijou qui avait roulé sous la table et le tendit à sa propriétaire.

— Ces perles sont-elles véritables? interro-

gea sir Donald brusquement sans sa courtoisie
habituelle.

Il contemplait les deux grandes boucles qui
ornaient les oreilles de l'Américaine.

— Bien sûr, répondit-elle.

— Elles m'ont coûté quatre-vingt mille dollars, ajouta le père fièrement. Mais ma fille les
visse si mal qu'elles tombent. Tu veux me rui-
ner, petite.

— Je ne crois pas que tu serais ruiné même
s'il te fallait m'en payer une autre paire!

— Sans doute, répondit le magnat. Trois
autres paires ne diminueraient guère mon
compte en banque.

— Vous avez de la chance! répliqua sir
Donald.

— Je crois que je vais aller dormir, Messieurs,
reprit Blundell. Bonsoir. Il s'éloigna, suivi du
jeune Hurst.

Les quatre voyageurs qui restaient échangèrent
des sourires et sir Donald marmotta:

— Tant mieux pour lui s'il a les moyens de
perdre pareille somme! Cochon de nouveau
riche! ajouta-t-il avec humeur.

— Ces Américains ont beaucoup trop d'argent, déclara Dubosc.

— Les pauvres n'apprécient guère les gens
richissimes, dit doucement Parker Pyne.

L'officier se mit à rire:

— Ils sont tous jaloux! Vous avez raison,

Monsieur, tout le monde désire avoir de la fortune et pouvoir acheter des perles! Sauf peut-être les savants...

Il salua le docteur Carver qui, à son habitude, paraissait distrait et jouait avec un petit objet qu'il tenait à la main.

— Quoi? demanda-t-il en sortant de sa rêverie. Je reconnais que je ne convoite pas les grosses perles. Evidemment l'argent est toujours utile... mais regardez ceci! Voilà qui est bien plus intéressant!

— Qu'est-ce donc?

— Un cachet d'hématite noire qui représente une offrande: on y a gravé un dieu en train de présenter un suppliant à un autre dieu beaucoup plus puissant, assis sur un trône. Le suppliant apporte un chevreau comme offrande et un serviteur écarte les mouches du trône à l'aide d'une branche de palmier. La fine inscription déclare qu'il s'agit d'un fidèle d'Hammurabi; donc ce cachet a dû être fait il y a quatre mille ans.

Prenant une boule de plasticine dans sa poche, Carver en étendit un peu sur la table, l'assouplit avec de la vaseline et y appuya sa trouvaille; après quoi, il détacha un morceau de plasticine à l'aide d'un canif et dit:

— Regardez.

La scène qu'il avait décrite apparut nettement et, pendant un instant, tous furent envoû-

tés par cette évocation du passé. Puis la voix
sèche de Blundell s'éleva:

— Dites donc, Indigènes, venez prendre mes
bagages dans cette maudite cave et portez-les
dans une tente! Les bêtes me piquent et je ne
pourrai pas dormir!

— Quelles bêtes? interrogea sir Donald.

— Probablement, les poux du sable, expliqua Carver.

Le groupe se mit en branle de bonne heure,
le lendemain et admira la couleur rose des
rochers. Tous marchaient lentement, pour attendre le savant qui cheminait les yeux fixés sur le
sol; il se baissait de temps à autre et ramassait
de petits objets.

— On peut toujours reconnaître les archéo-
logues, déclara le colonel Dubosc, en souriant:
ils ne regardent ni le ciel ni les montagnes, ni
les beautés de la nature... ils cherchent par
terre!

— Oui, mais quoi? demanda Carol. Que
ramassez-vous, Docteur?

Carver sourit et lui tendit deux fragments
boueux de poterie.

— Ces détritus! s'écria la jeune fille dédaigneusement.

— Ils sont beaucoup plus intéressants que
l'or!

Elle fit une moue incrédule.

Les touristes atteignirent un tournant abrupt
et passèrent devant deux ou trois tombeaux
creusés dans le roc. L'ascension était assez
pénible, mais les bédouins marchaient en tête
sans se troubler et sans même jeter un regard
au précipice qui s'ouvrait d'un côté de la piste.

Carol avait pâli. Un des serviteurs se pencha
et lui tendit la main. Hurst se dressa devant elle
et mit sa canne en travers du précipice comme
garde-fou. Elle le remercia d'un regard et ne
tarda pas à grimper sur un sentier rocheux
beaucoup plus large. Ses compagnons la suivirent lentement. Le soleil était déjà haut et la
chaleur se faisait sentir.

Ils gagnèrent enfin un large plateau et une
petite montée les conduisit au sommet d'un
grand rocher carré. Blundell fit signe aux guides que ses compagnons et lui pourraient continuer seuls et les bédouins s'installèrent confor-
tablement contre les roches pour fumer.

Ils arrivèrent sur une espèce de plate-forme
nue; la vue de la vallée était admirable. A leurs
pieds, il y avait un rectangle entouré de bassins
creusés dans la pierre et surmonté d'une sorte
d'autel.

— Quel beau site pour faire des sacrifices,
dit la jeune fille avec admiration. Mais y ame-
ner les victimes expiatoires ne devait pas être
facile!

— Il y avait autrefois, expliqua le docteur

Carver, une route rocheuse en zigzag. Quand
nous descendrons sur l'autre versant, nous en
retrouverons les traces.

Le groupe s'attarda un moment à discuter;
puis on entendit un léger bruit et l'archéologue
déclara:

— Je crois que votre boucle d'oreille est
encore tombée, Mademoiselle.

Carol porta la main à une oreille et s'écria:

— En effet.

Dubosc et Hurst commencèrent à la chercher
et le colonel dit:

— Elle ne peut être loin, car cet endroit est
plat et ressemble à une boîte carrée.

— N'a-t-elle pas pu tomber dans une fente?
interrogea la jeune Américaine.

— Il n'y en a pas, répondit Parker Pyne. Le
sol est parfaitement uni. Ah! Vous avez quelque chose, Colonel?

— Un simple petit caillou, répondit Dubosc,
en le jetant au loin.

Peu à peu la tension s'empara des chercheurs.
La somme de quatre-vingt mille dollars paraissait s'imposer à tous les esprits.

— Avais-tu cette perle en arrivant ici, demanda son père. Peut-être est-elle tombée pendant que nous marchions?

— Je l'avais quand nous sommes arrivés sur
ce plateau, parce que le docteur Carver m'a fait

observer qu'elle se détachait et l'a revissée.
N'est-ce pas, Docteur?

Le savant acquesça et sir Donald exprima
tout haut ce que chacun pensait:

— Cette affaire est très ennuyeuse. Vous
nous disiez, hier soir, Monsieur, combien vous
avaient coûté ces perles. Chacune vaut une
petite fortune et si l'on ne retrouve pas celle qui
manque — ce qui semble probable — chacun
de nous pourra être soupçonné.

— Je demande à être fouillé! interrompit
Dubosc. Je l'exige même.

— Moi aussi, ajouta vivement Hurst.

— Quel est l'avis général? interrogea sir
Donald.

— Affirmatif, en ce qui me concerne, dit
Mr. Parker Pyne.

— Excellente idée, ajouta le savant.

— Je désire être compris dans la fouille,
annonça Blundell. J'ai mes raisons pour cela
mais ne veux pas les donner.

— Comme vous voudrez, dit sir Donald avec
courtoisie.

— Carol, ma petite, veux-tu aller retrouver
les guides?

La jeune fille s'éloigna sans répondre, le
visage sombre. Son air angoissé attira l'attention d'un de ses compagnons qui se demanda
ce que cela signifiait.

La fouille fut sévère, complète... et ne donna

aucun résultat. Il devint évident que personne ne cachait la perle.

Le petit groupe descendit la pente d'un air morne et n'écouta ensuite que vaguement les descriptions des guides.

Mr. Parker Pyne achevait de s'habiller pour déjeuner quand quelqu'un apparut à l'ouverture de sa tente.

— Puis-je entrer?

— Certainement, chère Mademoiselle.

Carol vint s'asseoir sur le lit. Son visage avait la même expression angoissée que le matin. Elle dit:

— Vous faites profession d'aider les personnes malheureuses, n'est-ce pas?

— Je suis en vacances et n'accepte aucune affaire.

— Vous vous occuperez de moi, répliqua-t-elle avec calme, car je suis plus tourmentée que n'importe qui.

— Pourquoi? Est-ce à cause de la perle?

— Oui. Jim Hurst ne l'a pas prise, j'en suis sûre.

— Je ne comprends pas bien. Pourquoi l'accuserait-on?

— A cause du passé: Jim Hurst a été voleur et on l'a surpris dans notre maison. Je... j'ai eu pitié de lui... Il était si jeune, si affolé...

« *Et si beau* », pensa Parker Pyne.

— J'ai obtenu de p'pa — qui ferait n'im-

porte quoi pour moi — de permettre à Jim de
se relever et celui-ci s'est amendé. Mon père a
confiance en lui, lui confie tous ses secrets... et
eût fini par céder sans la perte de cette perle...

— Comment « céder »?

— Je veux épouser Jim qui est amoureux de
moi.

— Mais... sir Donald?

— C'est le prétendant choisi par p'pa. Supposez-vous que je veuille épouser un empaillé
pareil?

Parker Pyne ne releva pas cette description
du jeune noble et interrogea:

— Quels sont les sentiments de sir Donald à
votre égard?

— Je pense qu'il m'estime capable de redorer
son blason!

Le détective réfléchit puis reprit:

— Je voudrais vous poser deux questions:
hier soir, on a déclaré qu'un voleur ne se corrige
jamais...

— En effet.

— Je comprends maintenant pourquoi cela
a jeté un froid.

— Oui... c'était gênant pour Jim, pour moi
et pour mon père. J'ai eu si grand peur que le
visage de Jim ne l'accuse, que j'ai prononcé la
première phrase qui m'est venue à l'esprit.

Parker Pyne acquiesça d'un air pensif; puis
il demanda:

— Pourquoi votre père a-t-il demandé qu'on le fouillât tout à l'heure?

— Vous n'avez pas compris? Moi, si. Il supposait que je croirais qu'il avait voulu tendre un piège à Jim, car il est enragé pour que j'épouse l'Anglais. Alors, il a tenu à me prouver qu'il n'avait pas joué un vilain tour à Jim.

— Mon Dieu, dit le détective, tout ceci est fort révélateur, mais ne nous aide pas à résoudre le problème.

— Vous n'allez pas m'abandonner?

— Non... non... Que désirez-vous au juste que je fasse?

— Prouvez que Jim n'a pas dérobé la perle.

— Mais supposons... pardonnez-moi... que ce soit lui?

— Si vous le croyez, vous vous trompez du tout au tout.

— Peut-être... avez-vous envisagé tous les aspects de la question? M. Hurst a pu éprouver une violente tentation? La vente de cette perle lui apporterait une grosse somme qui le rendrait indépendant; il pourrait alors vous épouser sans le consentement de votre père.

— Il n'est pas coupable, répondit Carol sans se troubler.

Cette fois, le détective ne protesta pas et répondit:

— Je ferai de mon mieux.

La jeune fille s'inclina et sortit de la tente.

Parker Pyne s'assit, à son tour, sur le lit, réfléchit et se mit à rire en disant tout haut:

— Je deviens idiot!

Mais pendant le déjeuner, il fut très enjoué.

L'après-midi s'écoula dans le calme. Les touristes dormirent pour la plupart. A seize heures quinze, Parker Pyne entra dans la grande tente et n'y trouva que le docteur Carver qui examinait des fragments de poterie.

— Ah! lui dit-il en s'asseyant, je voulais justement vous voir. Voulez-vous me prêter un bout de plasticine?

Le savant fouilla dans ses poches, en sortit un bâton et le lui tendit.

— Non, dit le détective en le repoussant, ce n'est pas celui-ci, c'est la boule que vous aviez hier soir et, à vrai dire, ce n'est pas la plasticine que je veux, mais son contenu.

Il y eut un silence; puis l'archéologue répondit sans se troubler:

— Je ne comprends pas bien.

— Je crois que si... Je veux la perle de Miss Blundell.

Un nouveau silence tomba. Le savant finit par glisser une main dans sa poche et exhuma une boule informe.

— Vous êtes adroit, murmura-t-il.

— Veuillez tout m'expliquer, reprit Parker Peyne en grattant la substance molle d'où il retira une boucle d'oreille quelque peu maculée. Je voudrais, par simple curiosité, apprendre ce qu'il s'est passé...

— Je vous le dirai, répondit Carver, si vous m'expliquez comment vous m'avez soupçonné? Vous n'avez rien vu?

— Non. Je me suis contenté de réfléchir.

— Au début, il ne s'est agi que d'un simple incident. J'ai marché derrière vous tous, ce matin, et j'ai vu la perle à mes pieds; elle venait sans doute de tomber, mais ni sa propriétaire ni personne ne l'avait remarqué. Je l'ai ramassée et mise dans ma poche, bien décidé à la rendre dès que je rattraperais Miss Blundell...

« Puis, tandis que je gravissais la montée, j'ai pensé que ce bijou n'intéressait guère cette petite sotte; son père lui en achèterait un autre sans se préoccuper de la dépense... tandis que la vente de cette perle me permettrait d'équiper un groupe de prospecteurs... (Le visage jusqu'alors impassible de l'archéologue, s'anima.) Vous ignorez combien il est difficile, de nos jours, d'obtenir des subventions pour des fouilles! Cette perle me faciliterait l'exploration d'une région du Béloutchistan où il y a toute une époque à ressusciter... Ce que vous avez dit hier soir m'est revenu à l'esprit, les témoins suggestionnables. Cette jeune fille devait appartenir à cette catégorie. Quand nous avons atteint le sommet, je lui ai dit qu'une de ses boucles d'oreilles était mal vissée et j'ai fait semblant

de la consolider... En réalité, j'ai appuyé la
pointe d'un crayon sur le lobe de son oreille...
et un instant plus tard, j'ai fait rouler un caillou.

Elle était prête à jurer que sa perle venait à
peine de tomber. En même temps, je l'ai enfon-
cée dans un morceau de plasticine qui était au
fond de ma poche. Voilà... Ce n'est pas très
moral! A vous de parler!

— Je n'ai pas grand-chose à dire, répliqua
Parker Pyne. Vous étiez le seul à ramasser des
objets, ce qui a attiré mon attention et, le petit
caillou découvert par l'un d'entre nous m'a fait
deviner votre subterfuge. Puis... hier soir, vous
aviez disserté un peu trop véhémentement sur
l'honnêteté, comme si vous cherchiez à vous
convaince vous-même... et vous avez parlé un
peu trop dédaigneusement de l'argent.

Le visage du savant reflétait la lassitude.

— Voilà! dit-il. Tout est fini pour moi. Je
pense que vous allez rendre son joujou à cette
petite? L'instinct barbare de la parure est éter-
nel chez la femme et remonte à l'époque paléo-
lithique...

— Je crois que vous jugez mal Miss Blundell;
elle est intelligente et, de plus, a du cœur. Je
crois qu'elle ne parlera de tout cela à personne.

— Mais son père ne l'imitera pas!

— Si. Vous comprenez « P'pa » a des raisons
de se taire: cette perle ne vaut pas quarante
mille dollars. On l'aurait pour cinq cents francs!

— Quoi?

— Oui; la petite l'ignore. Moi, je m'en suis douté hier soir car Blundell étalait par trop ses richesses... Quand tout va bien, il est inutile de bluffer... et l'Américain bluffait!

Le docteur Carver se mit à rire comme un gamin et s'écria:

— Alors, nous ne sommes que de pauvres diables?

— Parfaitement, répondit Parker Pyne qui cita le vers: « Quand on se sent pareil, on devient altruiste. »

LES PORTES DE BAGDAD

« *La cité de Damas a quatre grandes portes.* »
Mr. Parker Pyne répéta à mi-voix les vers de
Flecker:

*Poterne du destin, Porte du désert, Caverne du
[malheur,
Fort de la peur,
Je suis la porte de Bagdad, le seuil du Diarbekir.*

Il était dans les rues de Damas et il aperçut,
arrêté devant l'*Hôtel Oriental*, un des énormes
cars Pullman qui devait, le lendemain, l'emporter, avec onze autres voyageurs, à travers le
désert, vers Bagdad.

*Ne passez pas dessous, O caravane, mais si vous
[passez, taisez-vous.
Avez-vous entendu
Le silence, car les oiseaux sont morts? Pourtant
[quelque chose pépie comme un oiseau!*

Passez dessous, O caravane du Destin, caravane
[de la mort.

Le contraste était saisissant: autrefois, la
porte de Bagdad avait vraiment conduit à la
mort, car les caravanes devaient traverser un
désert long de huit cents kilomètres et leurs
voyages duraient des mois. A présent, les
monstres nourris d'essence effectuaient le par-
cours en trente-six heures.

— Que dites-vous, monsieur?

C'était Miss Netta Pryce, jeune et charmante
touriste, qui posait cette question. Tout en étant
nantie d'une austère tante qui avait un soupçon
de barbe et une soif inextinguible de récits
bibliques, Netta trouvait moyen de s'amuser
avec une légèreté que Miss Pryce aînée n'eût
sans doute guère approuvée.

Parker Pyne lui répéta les vers de Flecker et
la jeune fille s'écria:

— C'est palpitant!

Trois jeunes officiers aviateurs anglais, dont
l'un admirait beaucoup Netta, étaient debout
auprès d'elle et O'Rourke déclara:

— Même actuellement, le voyage ne manque
pas d'incidents émouvants. Des bandits tirent
parfois sur le convoi. Ou bien les voyageurs
s'égarent et nous sommes envoyés à leur
recherche. Un garçon s'est perdu pendant cinq
jours, mais heureusement il avait une bonne

provision d'eau... Puis il y a les aspérités de terrain. Un voyageur endormi a été projeté contre le toit de sa voiture et a été tué.

— Le toit d'un Pullman? interrogea la tante.

— Non, avoua le jeune aviateur.

— Il faudra que nous visitions la ville, s'écria Netta.

Miss Pryce prit un guide dans son sac et sa nièce s'éloigna en murmurant:

— Je suis sûre qu'elle voudra voir l'endroit où saint Paul a été défenestré! Tandis que moi, j'ai envie de visiter les bazars.

O'Rourke répondit aussitôt:

— Venez avec moi. Nous allons enfiler la rue Droite...

Ils partirent.

Mr. Parker Pyne se tourna vers un personnage calme qui se nommait Hensley et appartenait au service des Travaux Publics de Bagdad, il lui dit:

— Quand on voit Damas pour la première fois, on est un peu déçu car la ville est trop civilisée: des tramways, des immeubles modernes, des magasins!

Hensley acquiesça d'un signe, étant peu bavard, et répondit:

— Vous n'avez pas tout vu.

Un nouveau voyageur s'approcha; il était blond, arborait une cravate aux couleurs d'Eton et avait un visage aimable qui ne reflétait pas

l'intelligence. En cet instant, il paraissait inquiet, c'était un collègue d'Hensley.

— Ah! Smethurst, lui dit celui-ci. Avez-vous
perdu quelque chose?

L'autre secoua la tête et répondit mollement:

— Non, je regarde...

Puis il parut s'éveiller et ajouta:

— Nous devrions faire une petite virée, ce
soir.

Les deux amis s'éloignèrent et Parker Pyne
acheta un journal local imprimé en français,
mais il ne le trouva guère intéressant, les nouvelles locales ne lui apprenaient rien et aucun
événement important ne semblait se passer
ailleurs. Toutefois il trouva quelques entrefilets
datés de Londres.

Le premier avait trait à la Bourse. Le second
parlait de la fuite du financier Samuel Long
dont les détournements se montaient à plusieurs milliards et que l'on croyait parti pour
l'Amérique du Sud.

— Pour quelqu'un qui a juste trente ans,
c'est réussi, dit Parker Pyne.

— Vous croyez?

Le détective se retourna et vit un Italien avec
lequel il avait voyagé en bateau de Brindisi à
Beyrouth; il lui expliqua ce qu'il avait voulu
dire. Le signor Poli acquiesça et déclara:

— Cet individu est un grand criminel! Il a
fait des dupes en Italie aussi car il inspirait

confiance partout. On prétend qu'il est instruit.

— Il est allé à Eton et Oxford, déclara Parker Pyne.

— Croyez-vous qu'il sera arrêté?

— Cela dépendra de son avance. Il est peut-être encore en Angleterre ou... ailleurs.

— Par exemple ici, avec nous? demanda l'Italien en riant.

— C'est possible, répliqua Parker Pyne d'un air sérieux. Vous ignorez si je ne suis pas Long!

Le signor Poli le regarda avec effroi. Puis, sa figure d'un brun olivâtre arbora une expression ravie et il s'écria:

— Oh! c'est bon, très bon! Mais vous...

— Il ne faut jamais juger sur les apparences... Il est facile de paraître gros et cela vieillit. Puis, on peut se teindre les cheveux, changer de teint et même de nationalité.

L'Italien s'écarta avec un air entendu. Il n'était jamais sûr que les Anglais parlaient sérieusement.

Dans la soirée, Parker Pyne alla au cinéma. Ensuite on lui conseilla *Le Palais nocturne de la Gaieté* qui ne lui parut ni beau ni gai. Tout à coup il aperçut Smethurst, assis seul devant une table; il était rouge et le détective devina qu'il avait déjà trop bu. Il alla le rejoindre.

— La manière dont ces danseuses vous traitent est honteuse, déclara le jeune homme tristement. J'ai payé un verre, deux verres, trois verres à l'une d'elles... puis elle est partie en riant avec un autre type!

Le détective se montra compréhensif et proposa du café.

— J'ai commandé de l'aracq, dit Smethurst. C'est fameux! Buvez-en.

Parker Pyne connaissait les propriétés de l'aracq et usa de diplomatie. Le jeune homme déclara:

— J'ai des ennuis et il faut que je me remonte! Je ne sais pas ce que vous feriez à ma place... Je ne veux pas mal parler d'un copain et cependant, que faire?

Puis il dévisagea le détective et demanda brusquement:

— Qui êtes-vous? Quel est votre métier?

Parker Pyne prit une coupure dans son portefeuille et la posa devant son interlocuteur:

Etes-vous malheureux? Dans ce cas, consultez Mr. Parker Pyne.

Smethurst déchiffra le papier avec difficulté et s'écria:

— Vous m'en bouchez une surface! Est-ce que les gens viennent vous raconter leurs histoires, à vous aussi?

— Oui, ils se confient à moi.

— Un tas de femmes idiotes, je suppose?

— Pas mal de femmes, en effet, reconnut le détective. Mais des hommes aussi. Voyons, mon jeune ami, vous vouliez un conseil tout à l'heure?

— Taisez-vous! Cela ne regarde que moi... Où est ce maudit aracq?

Parker Pyne secoua tristement la tête et abandonna Smethurst.

Le convoi à destination de Bagdad partit à sept heures du matin. Il y avait douze voyageurs dans le Pullman: Parker Pyne, le signor Poli, Miss Pryce et sa nièce, trois officiers aviateurs, Smethurst, Hensley, une Arménienne et son bébé qui se nommaient Pentemian. Les vergers de Damas ne tardèrent pas à disparaître; le ciel était couvert et le jeune chauffeur le regarda une ou deux fois avec inquiétude. Il dit à Hensley:

— Il a beaucoup plu de l'autre côté de Rutba. J'espère que nous n'allons pas nous enliser.

On s'arrêta à midi et des cartons de victuailles furent distribués. Les chauffeurs firent du thé qu'ils servirent dans des tasses en papier. Puis, on traversa de nouveau l'interminable plaine.

Parker Pyne pensait aux lentes caravanes et aux longues semaines de voyage.

Au coucher du soleil, on atteignit le fort désaffecté de Rutba. Les hautes grilles furent ouvertes et le car entra dans une cour intérieure.

— Voici qui est passionnant! dit Netta.

Elle désirait faire une promenade. Le lieutenant aviateur O'Rourke et Mr. Parker Pyne
s'offraient de l'accompagner. L'organisateur du
voyage vint les supplier de ne pas s'éloigner car,
dans l'obscurité, ils auraient de la peine à
retrouver leur chemin.

— Nous resterons à proximité, promit l'aviateur.

La promenade était monotone. Parker Pyne se
baissa et ramassa un objet.

— Qu'avez-vous trouvé? lui demanda la
jeune fille.

— Un silex préhistorique, une perceuse, dit-il
en le lui tendant.

— Est-ce que... ces gens s'en servaient pour
tuer?

— Non, ils auraient sans doute pu le faire.
C'est l'intention qui compte plus que l'arme,
car on peut toujours en trouver une!

La nuit tombait et ils regardèrent rapidement
le fort. Après un dîner fait de conserves, les
touristes fumèrent. Le car devait repartir à
minuit. Le chauffeur semblait tourmenté.

— Il y a de mauvais coins par ici, dit-il. Nous
pourrions nous enliser.

On s'installa et Miss Pryce déplora de ne pouvoir atteindre ses valises.

— Je voudrais prendre mes pantoufles, gémit-
elle.

— Vous aurez plutôt besoin de bottes en caoutchouc, répondit Smethurst. A mon avis, nous allons entrer dans une mer de boue.

— Je n'ai même pas une paire de bas de rechange! dit la nièce.

— Cela ne fait rien. Vous ne bougerez pas. Seuls, les hommes descendront pour pousser aux roues.

— J'ai toujours des chaussettes supplémentaires, déclara Hensley en tâtant la poche de son pardessus.

On éteignit les lumières intérieures et la grosse voiture se mit en marche. Parker Pyne occupait une place à l'avant. De l'autre côté de l'allée, la dame arménienne était engoncée dans ses châles et son enfant était derrière elle. Les deux demoiselles Pryce étaient assises derrière le détective. Poli, Smethurst, Hensley, et les aviateurs étaient au fond.

Le car trouait la nuit et Parker Pyne ne pouvait s'endormir car il était mal assis. Les pieds de l'Arménienne le heurtaient. Tous les autres voyageurs paraissaient dormir et le détective lui-même s'assoupissait quand un cahot le projeta vers le toit du camion. Des voix s'élevèrent derrière lui:

— Attention! Vous voulez nous rompre le cou!

Puis Parker Pyne s'endormit à nouveau... Il s'éveilla brusquement: la voiture s'était arrêtée

et plusieurs hommes descendaient. Hensley
annonça:

— Nous sommes enlisés.

Curieux, Parker Pyne sortit avec précaution.
Il ne pleuvait plus et la lune brillait. Sa clarté
permettait de voir les deux chauffeurs qui, à
l'aide de pierres et de leviers, travaillaient à
soulever les roues, aidés par la plupart des
voyageurs. Les trois hommes regardaient par la
portière, les demoiselles Pryce avec intérêt,
l'Arménienne d'un air dégoûté.

— Où est Mr. Smethurst, dit Poli?

— Il dort encore, s'écria O'Rourke. Regar-
dez-le!

En effet, il était assis, le corps affaissé, la
tête pendante.

— Je vais l'éveiller, dit l'aviateur qui sauta
dans le car.

Une minute après, il reparut, la voix tremblante:

— Je crois qu'il est malade ou... Docteur!

Le médecin aviateur, homme d'aspect tranquille, dont les cheveux grisonnaient, se détacha du groupe et demanda:

— Qu'y a-t-il?

— Je ne sais pas...

Il remonta dans le car suivi de Parker Pyne
et d'O'Rourke, se pencha, effleura la main pendante et dit doucement:

— Il est mort.

— Mort? Comment?

Les questions se croisaient et Netta murmura:

— C'est affreux!

Loftus regarda autour de lui d'un air furieux et dit:

— Il a dû se cogner la tête au moment du gros cahot.

— Voyons, cela n'a pas pu le tuer! Il doit y avoir autre chose!

— Je ne puis rien affirmer tant que je ne l'aurai pas examiné.

Les femmes se pressaient et tous les hommes entraient dans le car.

Parker Pyne donna des instructions au jeune chauffeur qui était grand et robuste: il souleva les trois femmes l'une après l'autre, les porta par-dessus la mare de boue et les déposa en terrain sec.

L'intérieur du car resta vide pour permettre au médecin de procéder à son examen et les hommes retournèrent essayer de soulever les roues. Le soleil se levait et il faisait très beau; la boue séchait mais le véhicule était toujours coincé. On avait cassé trois leviers sans succès. Les chauffeurs se mirent à préparer le premier déjeuner.

A l'écart, le docteur Loftus déclarait:

— Il n'a aucune blessure. Ainsi que je le disais, il a dû se heurter au toit du car.

— Vous êtes sûr que sa mort est naturelle?

Le ton de Parker Pyne lui valut un regard rapide du médecin.

— Il n'y a qu'une autre explication, répondit-il comme s'il s'excusait.

— Laquelle?

— Qu'on l'ait frappé par-derrière avec un sac de sable.

— Ce n'est guère probable, dit Williamson, le troisième aviateur. Il était jeune et avait une figure de chérubin. Personne n'aurait pu le faire sans que nous nous en apercevions!

— Si, si nous dormions? suggéra le médecin.

— L'assassin ne pouvait pas en être sûr. En se levant et en s'approchant, il eût éveillé quelqu'un.

— Il aurait fallu, fit observer Poli, qu'il fût assis derrière sa victime car, alors, il pouvait choisir l'instant propice sans même se lever.

— Qui est-ce qui occupait cette place? interrogea le docteur.

O'Rourke répliqua aussitôt.

— Inutile d'y penser! C'est Hensley, le meilleur ami de Smethurst.

Il y eut un silence, puis Parker Pyne déclara:

— Je crois que le lieutenant Williamson a quelque chose à dire.

— Moi, Monsieur? Je...

— Parlez, mon petit, conseilla O'Rourke.

— Ce n'est rien, vraiment rien...

— Allons!

— J'ai simplement entendu une bribe de conversation, à Rutba, dans la cour... j'étais remonté dans le car pour chercher mon étui à cigarettes. Deux hommes causaient à côté de la voiture; l'un était Smethurst et il disait...

Le jeune officier s'interrompit.

— Voyons, vieux, allez-y!

— Il disait ne pas vouloir trahir un copain et paraissait navré. Il a ajouté: « Je me tairai jusqu'à Bagdad, mais pas une minute de plus! Il te faudra filer vite... »

— Qui était l'autre?

— Je l'ignore, Monsieur, je vous le jure! Il faisait noir et il n'a prononcé qu'un ou deux mots que je n'ai pas entendus.

— Qui, parmi vous, connaissait bien Smethurst?

— Je crois, répondit lentement O'Rourke, que le terme « copain » ne pouvait s'appliquer qu'à Hensley. Je connaissais à peine Smethurst; Williamson est récemment arrivé et le docteur Loftus aussi; je ne pense pas qu'ils aient jamais rencontré le malheureux auparavant.

Les deux officiers acquiescèrent.

— Et vous, Poli?

— Je ne l'avais pas vu avant d'avoir traversé le Liban avec lui en venant de Beyrouth.

Parker Pyne reprit:

— Je puis ajouter un léger détail...

Il répéta sa conversation avec Smethurst dans le café de Damas et reprit:

— Quelqu'un se souvient-il d'un autre indice possible?

Le médecin toussota:

— Cela n'a peut-être aucun rapport mais... j'ai entendu Smethurst dire à Hensley: « Vous ne pouvez nier qu'il y a une fuite dans votre service? »

— Quand a-t-il prononcé ces mots?

— Hier matin, juste avant que nous quittions Damas; j'ai cru qu'ils s'entretenaient simplement de leur travail... je n'ai pas supposé...

— Tout ceci est intéressant, dit l'Italien. Petit à petit, vous assemblez des preuves.

— Vous parliez d'un sac de sable, Docteur, dit Parker Pyne. Peut-on fabriquer aisément une matraque de ce genre?

— Il ne manque pas de sable, répliqua Loftus qui en ramassa une poignée.

— On pourrait en bourrer une chaussette... dit O'Rourke en hésitant.

Chacun se remémora les paroles d'Hensley:

— « J'ai toujours des chaussettes supplémentaires... »

Un silence tomba, puis Parker Pyne dit avec calme:

— Docteur Loftus, je crois que les chaussettes de Mr. Hensley sont dans la poche de son pardessus qui est dans le car...

Tous les regards se tournèrent vers un homme qui marchait de long en large à quelque distance. Hensley s'était tenu à l'écart depuis la découverte du mort et on avait respecté son désir de solitude à cause de l'amitié qui le liait à Smethurst.

Parker Pyne ajouta:

— Voulez-vous les chercher et nous les apporter?

Le médecin hésita et murmura:

— Je n'aime guère... Cela semble assez vilain...

— Le cas est spécial, reprit le détective. Nous sommes cloués ici et il nous faut savoir la vérité. Si vous nous apportez ces chaussettes, je pense que nous serons fixés...

Loftus s'éloigna et Parker Pyne attira Poli un peu plus loin.

— C'était vous qui étiez assis en face de Smethurst de l'autre côté du passage central?

— En effet.

— Un voyageur s'est-il levé pour longer ce passage?

— La vieille demoiselle seulement. Elle est allée au lavabo.

— A-t-elle vacillé?

— Oui, un peu à cause des cahots de la voiture.

— Vous n'avez vu personne d'autre?

— Non.

L'Italien dévisagea son interlocuteur et demanda:

— Qui êtes-vous? Vous dirigez l'enquête et, pourtant, vous n'êtes pas militaire!

— J'ai une grande expérience.

— Sans doute avez-vous beaucoup voyagé?

— Non. J'ai été longtemps assis dans un bureau.

Loftus revenait, portant des chaussettes. Parker Pyne les lui prit des mains et les examina: l'une d'elles contenait un peu de sable mouillé; le détective respira fortement et annonça:

— Maintenant je connais le coupable.

Tous les yeux se tournèrent vers le promeneur solitaire.

— Pourrais-je voir le corps? reprit Parker Pyne.

Accompagné du médecin, il se rendit à l'endroit où Smethurst avait été déposé et recouvert d'une bâche. Loftus la souleva et affirma:

— Il n'y a rien à voir.

Parker Pyne regardait la cravate du mort.

— Donc, dit-il, il avait fait ses études à Eton.

Le docteur parut étonné et le fut davantage encore lorsque son interlocuteur ajouta:

— Que savez-vous au sujet du jeune Williamson?

— Rien. Je l'ai rencontré à Beyrouth car j'arrivais d'Egypte. Pourquoi? Sûrement...

— C'est à cause de son témoignage qu'un homme sera pendu... il faut être prudent...

Parker Pyne continuait à examiner le col et la cravate du mort; il déboutonna le premier et poussa une exclamation:

— Regardez!

Il y avait une petite tache de sang à l'arrière du col et le détective se pencha pour examiner le cou, puis il déclara:

— Cet homme n'a pas été matraqué, Docteur! Il a été poignardé à la base du crâne... on aperçoit la petite piqûre.

— Et je n'ai rien vu!

— Vous aviez une idée préconçue, répondit Parker Pyne. Vous pensiez à un choc sur la tête et il est facile de ne pas remarquer cette blessure. Un coup sec en se servant d'un instrument pointu cause une mort instantanée. La victime ne crie même pas!

— Vous pensez à un stylet? Supposez-vous que Poli...

— Les Italiens et les stylets sont inséparables dans l'esprit du public... Tiens! Une auto!

Un car de tourisme se montrait à l'horizon et O'Rourke qui rejoignait les deux causeurs déclara:

— Parfait! Les dames vont pouvoir monter dans cette voiture.

— Et l'assassin? demanda Parker Pyne.

— Vous parlez de Hensley?

— Non, car *je sais* qu'il est innocent.

— Vous savez... comment?

— Il avait du sable dans sa chaussette.

L'aviateur était stupéfait et le détective reprit:

— Evidemment, mon garçon, ce que je dis paraît peu logique, mais il n'en est rien: Smethurst n'a pas été assommé, il a été poignardé.

Il se tut un instant puis continua:

— Remémorez-vous la conversation que j'ai eue avec lui dans un café: une phrase m'avait frappé. Quand je lui ai dit que j'attirais la confiance, il a répondu: « Vous aussi? » Cela ne vous semble-t-il pas curieux? Ce n'est pas ainsi qu'on décrit des irrégularités dans un bureau mais bien plutôt les machinations de Samuel Long, par exemple!

Loftus tressaillit et O'Rourke murmura:

— Peut-être...

— J'ai dit en riant que Long, le fuyard, pouvait être parmi nous. Admettons que ce soit vrai...

— Voyons c'est impossible.

— Pas du tout. Que sait-on concernant des voyageurs en dehors de leurs passeports et des renseignements qu'ils fournissent sur eux-mêmes? Suis-je vraiment Parker Pyne. Le signor

Poli est-il vraiment Italien? Et que penser de la masculine Miss Pryce qui a besoin de se raser?

— Mais... Smethurst ne connaissait pas Long!

— Smethurst était un ancien élève d'Eton, l'autre aussi et le premier put le reconnaître sans en parler; il l'a peut-être retrouvé parmi nous. Dans ce cas, qu'eût-il fait? Il n'était pas très astucieux et il s'est tourmenté... Enfin, il s'est décidé à se taire jusqu'à Bagdad puis à parler en y arrivant.

— Vous croyez donc que Long est ici? demanda O'Rourke toujours incrédule... En ce cas, ce doit être l'Italien...

— Se faire passer pour un étranger et se procurer un passeport d'une autre nationalité est beaucoup plus difficile que de rester anglais affirma le détective.

— Donc, c'est Miss Pryce? s'écria l'aviateur.

— Non: voici notre homme!

Parker Pyne posa une main de fer sur son voisin et ajouta:

— C'est le docteur Loftus ou, plus exactement, Samuel Long!

— Impossible! Impossible, balbutia O'Rourke. Loftus est en service dans l'aviation depuis des années.

— Mais vous n'avez jamais eu l'occasion de le voir? Bien entendu cet individu n'est pas le véritable Loftus.

L'homme répondit doucement:

— Vous êtes intelligent! Comment avez-vous deviné?

— A cause de votre ridicule assertion au sujet de la mort causée par un choc à la tête. O'Rourke vous en a, sans le vouloir, suggéré l'idée hier tandis que nous causions à Damas. Etant le seul médecin présent, vous avez pensé que votre diagnostic serait accepté. Vous aviez l'équipement de Loftus et sa trousse; il vous a été facile de choisir un petit instrument acéré. Vous vous êtes penché vers votre victime pour lui parler et, en même temps, vous avez frappé... puis vous avez encore prononcé quelques mots... l'intérieur du car était obscur... Qui pouvait vous soupçonner?

« Quand on a découvert le corps, vous avez donné votre opinion. Cependant, elle n'a pas été aussi vite admise que vous l'espériez. Vous vous êtes retranché derrière une seconde ligne de défense: Williamson ayant répété votre conversation avec Smethurst, vous avez laissé croire qu'il s'agissait de son ami Hensley et vous avez inventé une fuite dans leur service. Ensuite, j'ai prétendu que j'allais obtenir une dernière preuve en parlant du sable et des chaussettes. Vous aviez du sable dans la main. Je vous ai envoyé chercher les chaussettes *pour savoir la vérité.* Toutefois, ma phrase n'avait pas le sens que vous lui prêtiez car *j'avais déjà examiné les chaussettes de Hensley.* Elles ne

contenaient pas le moindre grain de sable! Mais
vous y en avez mis!

Samuel Long alluma une cigarette.

— Je me rends, dit-il. La chance a tourné!
Enfin, pendant qu'elle durait j'ai joui de la vie.
On commençait à me traquer quand j'ai gagné
l'Egypte où j'ai rencontré Loftus qui allait
rejoindre son unité à Bagdad et n'y connaissait
personne. C'était inespéré et je l'ai payé pour
prendre sa place... ce qui m'a coûté vingt mille
livres... une bagatelle pour moi! Puis, par malheur, je suis tombé sur Smethurst! C'était le
dernier des imbéciles mais il avait été mon
copain à Eton et m'avait beaucoup admiré.
Aussi, hésitait-il à me dénoncer! J'ai fait de
mon mieux et j'ai fini par obtenir qu'il se taise
jusqu'à Bagdad... Mais je savais qu'il me serait
impossible de fuir et que je n'avais d'espoir
qu'en le supprimant. Pourtant je vous assure
que je ne suis pas un assassin par goût. Mes
talents sont fort différents...

Il se tut... son visage se contracta, il vacilla et
tomba... O'Rourke se pencha et Parker Pyne
déclara:

— Il devait y avoir de l'acide prussique dans
la cigarette. Le joueur a perdu la dernière levée!

Puis, le détective regarda le désert éclairé par
le soleil. Ils avaient quitté Damas la veille... par
la porte de Bagdad.

Ne passez pas dessous, O Caravane, mais si vous
                                    [passez, taisez-vous,
Caravane de la mort!

AVEZ-VOUS
TOUT CE QUE VOUS DÉSIREZ?

— Par ici, Madame.

Une grande femme enveloppée d'un manteau de vison, suivait un porteur lourdement chargé sur le quai de la Gare de Lyon.

Elle était coiffée d'un béret brun tricoté, fortement incliné sur un côté. De l'autre côté, on voyait un ravissant profil et de petites boucles dorées qui encadraient une minuscule oreille nacrée. Elle semblait être Américaine et très séduisante. Tandis qu'elle longeait les wagons du train en partance, plus d'un homme se retourna pour la regarder.

Des plaques accrochées aux wagons indiquaient: *Paris-Athènes — Paris-Bucarest — Paris-Istamboul.*

Arrivé devant la dernière voiture, le porteur s'arrêta, détacha la courroie qui retenait les valises, et dit:

— Voici, Madame.

L'employé des wagons-lits était debout

devant le marchepied. Il s'avança et son « Bonsoir, Madame » fut très empressé, peut-être à
cause de la somptuosité du manteau. Elle lui
tendit son ticket de couchette.

— Numéro 6, dit-il. De côté.

Puis il monta dans le train et la voyageuse
le suivit. Elle faillit heurter un personnage corpulent qui sortait du compartiment voisin du
sien et aperçut un visage paisible au regard
bienveillant.

— Voici, Madame, reprit l'employé. Il pénétra dans le wagon-lit, baissa la vitre et fit
signe au porteur qui lui passa les bagages; il
les disposa dans le filet et la dame s'assit. Elle
plaça à côté d'elle son sac à main et une mallette de cuir rouge. Il faisait chaud dans le compartiment, mais la voyageuse ne paraissait pas
penser à ôter son manteau et regardait par la
portière d'un air vague. De nombreuses personnes se hâtaient sur le quai. Il y avait des
marchands de journaux, de fruits, de chocolat,
d'eaux minérales, des chariots d'oreillers et cou-
vertures; mais elle ne leur accordait aucune
attention et son visage reflétait la tristesse.

Le convoi était sorti de la gare quand une
voix demanda:

— Madame veut-elle me montrer son passeport?

Elsie Jeffries n'avait pas écouté. L'employé
répéta sa question. Elle sursauta, murmura:

— Vous m'avez parlé?

— Votre passeport, Madame.

Elle ouvrit son sac, y prit le document, le tendit.

— Fort bien, Madame, je me charge de tout... (Puis l'employé ajouta d'un ton discret:) J'accompagnerai Madame jusqu'à Istamboul.

Elsie prit dans son portefeuille un billet de banque et le lui donna. Il l'accepta avec déférence puis demanda si elle voulait que son lit soit fait tout de suite et si elle dînerait au wagon-restaurant. Quand elle eut répondu, il s'en alla et, presque aussitôt, le garçon du restaurant longea le couloir en agitant sa clochette et en annonçant: « Premier Service, Premier Service! »

La jeune femme se leva, ôta son manteau, se regarda dans une petite glace, prit son sac et sa mallette à bijoux et sortit dans le couloir. Le garçon du restaurant revenait en courant et, pour ne pas entrer en collision avec lui, elle entra dans un compartiment voisin qui était vide. Au moment où elle s'apprêtait à reprendre le chemin du restaurant, son regard tomba sur l'étiquette d'une valise posée sur la banquette.

C'était une grosse valise en peau de porc un peu usagée. L'étiquette portait les mots: *J. Parker Pyne, Istamboul.* Et la valise était frappée aux initiales J.P.P.

Le visage d'Elsie refléta la stupeur; après avoir hésité un instant, elle retourna vers son compartiment, y prit un numéro du *Times* qu'elle avait déposé sur la table avec des revues et des livres et parcourut les annonces du regard. Mais ce qu'elle cherchait ne s'y trouvait pas. Les sourcils froncés, elle se rendit au wagon-restaurant.

L'employé lui désigna une place devant une table déjà occupée par un convive: l'homme qu'elle avait rencontré dans le couloir et auquel appartenait la valise.

Elsie le dévisagea sans en avoir l'air: il paraissait calme, bienveillant et, sans qu'elle pût s'expliquer pourquoi, lui inspira confiance. Il fut très réservé, à la manière britannique et n'adressa la parole à la jeune femme qu'au moment du dessert.

— Il fait trop chaud ici.

— Certes, répondit-elle. Je voudrais bien ouvrir une fenêtre.

— Impossible! Sauf vous et moi, tous les voyageurs protesteraient.

Elle sourit, puis ils gardèrent le silence. On apporta le café et la note. Après l'avoir réglée, Elsie prit son courage à deux mains:

— Veuillez m'excuser... J'ai vu votre nom sur votre valise. Parker Pyne... Etes-vous... seriez-vous?

Elle hésitait et il lui vint en aide.

— Je pense que oui... (Puis il récita le texte de l'annonce que la jeune femme avait si souvent lue dans le *Times* et qu'elle avait vainement cherchée dans le train:) *Etes-vous heureux? Si non, consultez Mr. Parker Pyne.* C'est bien moi!

— Voilà qui est extraordinaire! répondit-elle.

— A vos yeux. Pas aux miens...

Il lui sourit aimablement, se pencha et demanda tandis que la plupart des autres voyageurs s'en allaient:

— Donc, vous n'êtes pas heureuse?

— Je... commença-t-elle, puis elle s'arrêta.

— Vous n'auriez pas dit « C'est extraordinaire », autrement.

Elsie que la présence de Mr. Parker Pyne rassurait finit par avouer:

— Oui, je suis malheureuse... ou, plutôt, je suis tourmentée, il s'est produit un fait étrange... auquel je ne comprends rien.

— Si vous me mettiez au courant?

La jeune femme se remémora l'annonce. Son mari et elle en avaient souvent ri alors qu'elle ne supposait pas... peut-être valait-il mieux se taire... Cet homme n'était-il pas un charlatan? Pourtant, il paraissait convenable. Elle se décida, car tout était préférable à l'inquiétude.

— Voici, je vais rejoindre mon mari à Istamboul; il fait beaucoup d'affaires avec l'Orient et, cette année, il a estimé nécessaire d'y aller. Il est parti depuis quinze jours et m'a demandé de le rejoindre ce qui me fait grand plaisir car je n'ai encore jamais voyagé. Nous sommes en Angleterre depuis six mois.

— Vous êtes Américains tous deux?

— Oui.

— Et vous n'êtes pas mariés depuis long-temps?

— Dix-huit mois.

— Vous êtes heureuse?

— Oh! oui. Edouard est un ange. (Elle hésita puis ajouta:) Peut-être n'est-il pas très gai... il est un peu... sévère car il a eu des ancêtres Puritains... Mais c'est un amour! conclut-elle vivement.

Parker Pyne la regarda d'un air pensif, puis reprit:

— Continuez.

— Environ huit jours après le départ de mon mari, j'écrivais une lettre dans son cabinet de travail et remarquai que le buvard était neuf, à l'exception de quelques lignes. Je venais de lire un roman policier où l'on découvrait un indice grâce à un buvard et, pour m'amuser, j'ai mis la feuille devant une glace. Croyez-moi, je ne cherchais pas à espionner Edouard... il est si calme qu'une idée pareille ne me serait pas venue.

— Je comprends.

— Je lus très facilement: il y avait d'abord:
ma femme... puis *le Simplon Express* et, plus
bas, *juste avant Venise serait le meilleur endroit.*

Elle s'interrompit.

— C'est curieux, dit Parker Pyne. C'était bien
l'écriture de votre mari?

— Oh! oui. Mais j'ai beau me creuser le cerveau, je ne comprends pas pourquoi il a écrit
ces quelques phrases.

— *Juste avant Venise serait le meilleur
endroit,* répéta le détective. C'est vraiment
bizarre.

Mrs. Jeffries se pencha vers lui et, avec une
nuance d'espoir dans la voix, lui demanda:

— Que dois-je faire? dit-elle.

— Je crains qu'il ne vous faille attendre jusqu'à Venise... (Il prit un indicateur sur la table,
le consulta et déclara:) Notre train doit arriver
à Venise demain après-midi, à quatorze heures vingt-sept minutes.

Ils échangèrent un regard et Parker Pyne
ajouta:

— Laissez-moi faire.

Il était quatorze heures cinq. Le Simplon
Express avait onze minutes de retard.

Parker Pyne et Mrs. Jeffries étaient assis dans
le compartiment de la jeune femme. Jusqu'alors,

le voyage avait été agréable mais monotone.
Toutefois, s'il devait se produire un événement,
l'instant était arrivé. Les yeux d'Elsie se posaient sur ceux de son compagnon pour y chercher un réconfort et son cœur battait violemment.

— Soyez tranquille, lui dit-il. Vous ne ris-
quez rien; je suis là.

Tout à coup, un cri s'éleva dans le couloir:

— Oh! le train est en feu!

D'un bond, Mrs. Jeffries et Parker Pyne se
précipitèrent dans le couloir. Une femme au
type slave, fort agitée, montrait l'extrémité du
wagon d'un geste d'effroi... Une vague de fumée
sortait d'un des compartiments. Tous les voyageurs se précipitèrent et certains reculèrent en
toussant. Le conducteur se montra et cria:

— N'ayez pas peur, Mesdames, Messieurs!
Ce compartiment est vide et le feu va être maî-
trisé.

Des questions, des réponses fusèrent de tous
côtés. Le train passait sur le pont qui relie
Venise à la terre ferme. Mr. Parker Pyne se rua
vers le compartiment d'Elsie. La femme au type
slave respirait fortement devant la fenêtre
ouverte.

— Ce compartiment n'est pas le vôtre, Madame, lui dit le détective.

— Je sais, je sais, haleta-t-elle. Pardon...
l'émotion... mon cœur...

Elle se laissa tomber sur la banquette. Parker Pyne dit d'un ton paternel:

— N'ayez pas peur! Je suis sûr que cet incen-
die n'a rien d'inquiétant.

— Vraiment? Quelle bénédiction! je me sens
mieux et vais rentrer dans mon compartiment...

— Pas encore, répliqua Parker Pyne en l'obli-
geant à s'asseoir de nouveau. Je suis forcé de
vous garder ici un instant, Madame.

— C'est une insulte, Monsieur!

— Ne bougez pas!

Il parlait avec autorité et la femme se tut.
Elsie arrivait.

— C'était une bombe lacrymogène, dit-elle.
Quelqu'un a voulu faire une farce ridicule.
L'employé est furieux et interroge tous les voya-
geurs...

Elle s'interrompit et regarda la femme avec
étonnement.

— Qu'y a-t-il dans votre petite mallette
rouge, Madame? lui demanda Parker Pyne.

— Mes bijoux.

— Voulez-vous avoir l'obligeance de vérifier
si rien ne manque?

L'inconnue fit entendre un torrent de récri-
minations en français. Pendant ce temps, Elsie
avait saisi la mallette et s'écriait:

— Oh! mon Dieu! elle n'est plus fermée à
clef!

— Je porterai plainte à la compagnie! déclarait la Slave.

— Elle est vide! gémit Mrs. Jeffries. Tout a disparu: mon bracelet en diamants! Le collier que mon père m'a donné, mes bagues ornées d'émeraudes et de rubis... et mes jolies broches en brillants. Heureusement, j'ai mon collier de perles sur moi. Oh! Monsieur, qu'allons-nous faire?

— Veuillez aller chercher le contrôleur. J'empêcherai cette personne de quitter le compartiment avant son arrivée.

— Scélérat! Monstre! vociféra l'accusée tandis que le convoi entrait en gare de Venise.

Ce qui se passa pendant la demi-heure suivante peut être facilement résumé: Parker Pyne discuta avec divers fonctionnaires, en diverses langues... mais n'obtint aucun résultat. La suspecte consentit à être fouillée... et fut relâchée, les bijoux n'étant pas sur elle.

Entre Venise et Trieste, Parker Pyne et Elsie examinèrent le problème:

— Quand avez-vous vu vos bijoux pour la dernière fois?

— Ce matin. J'ai rangé des boucles d'oreilles en saphir que je portais hier et les ai remplacées par de simples boutons en perle.

— Tous vos bijoux étaient bien à leur place?

— Je n'ai pas vérifié, mais tout m'a paru nor-

mal. Une bague ou un objet de la même gros-
seur pouvait manquer, mais rien de plus.

— Et quand l'employé a remis de l'ordre
dans le compartiment ce matin?

— J'avais emporté ma mallette au wagon-
restaurant. Je l'emporte toujours... sauf tout à
l'heure quand je suis sortie en courant.

— Par conséquent, cette pseudo-innocente
qui se fait appeler Subayska est forcément coupable. Mais, que diable a-t-elle fait des bijoux?
Elle n'est restée ici, seule, qu'un peu plus d'une
minute: le temps d'ouvrir la mallette avec une
fausse clef et de prendre son contenu, mais
ensuite?

— Peut-elle l'avoir remis à quelqu'un?

— Je ne crois pas. Je m'étais retourné et me
frayais un chemin dans le couloir. Si une personne était sortie de ce compartiment, je l'aurais sûrement vue.

— Peut-être a-t-elle jeté le tout à un complice par la fenêtre?

— Ce serait possible si nous ne nous étions
pas trouvés au-dessus de la mer à ce moment-
là. Nous longions le pont.

— Donc, elle a caché mes bijoux dans le
compartiment...

— Cherchons!

Elle se mit à l'œuvre avec énergie. Parker
Pyne l'aida mais d'un air distrait. Comme elle
le lui reprochait, il s'excusa:

— Je pensais qu'il me faut expédier un télégramme urgent, de Trieste.

Mrs. Jeffries parut vexée. Il était évident que Parker Pyne avait baissé dans son estime et il lui dit tristement:

— Je crains que vous ne soyez fâchée contre moi?

— Il est certain, répliqua-t-elle, que vous n'avez pas fait grand-chose!

— Souvenez-vous, chère Madame, que je ne suis pas policier. Le vol et les crimes ne sont pas mes spécialités. Je m'occupe du cœur humain.

— J'étais tourmentée quand je suis montée dans le train, mais beaucoup moins qu'à présent! J'en pleurerais! Mon beau bracelet... et la bague ornée d'émeraudes qu'Edouard m'a donnée pour nos fiançailles!

— Vous êtes sûrement assurée contre le vol?

— Je n'en sais rien! Peut-être... Mais il s'agit surtout d'une question de sentiments...

Le convoi ralentissait. Parker Pyne regarda au-dehors et annonça:

— Trieste! Je vais expédier mon télégramme.

— Edouard!

Le visage de Mrs. Jeffries s'éclaira en voyant son mari qui accourait sur le quai à Istamboul. Elle en oublia la perte de ses bijoux et les phrases lues sur le buvard... Bref, tout, sauf la joie de revoir Edouard, qui pouvait être calme et sévère, mais lui plaisait infiniment.

Ils sortaient de la gare. Elsie se sentit touchée à l'épaule et, en se retournant, vit Parker Pyne, l'air ravi.

— Madame, lui demanda-t-il voudrez-vous venir me parler à l'hôtel *Tokatlian* dans une demi-heure. Je crois que j'aurai de bonnes nouvelles à vous communiquer.

Elle regarda Edouard puis fit les présentations:

— Mon mari... M. Parker Pyne.

— Je crois que Mrs. Jeffries vous a télégraphié pour vous dire que ses bijoux ont été volés, dit celui-ci. J'ai fait de mon mieux pour les retrouver et je pense pouvoir, d'ici une demi-heure, la rassurer.

Jeffries répondit vivement:

— Tu feras bien d'aller au *Tokatlian*... C'est bien, Monsieur! Ma femme sera à l'heure.

Une demi-heure après, exactement, Elsie fut introduite dans le salon privé de Mr. Parker Pyne qui se leva pour la recevoir et lui dit:

— Je vous ai déçue, n'est-ce pas, Madame? Non, ne niez pas! Je ne prétends pas être un magicien, mais je fais ce que je peux. Ouvrez ceci...

Il posa une boîte en carton devant Mrs. Jeffries qui obéit. Bagues, broches, bracelet, collier, tout y était.

— Oh! s'écria-t-elle, c'est merveilleux!

Le détective sourit d'un air modeste.

— Je suis heureux de ne pas vous avoir manqué de parole, chère Madame.

— Oh! je me sens bien ingrate car, depuis Trieste, j'ai été si désagréable envers vous! Mais comment vous y êtes-vous pris? Où? De quelle façon?

Il secoua la tête d'un air pensif et répondit:

— Le récit serait long... Vous le connaîtrez quelque jour... bientôt peut-être.

— Pourquoi pas maintenant?

— J'ai mes raisons...

La jeune femme dut s'en aller sans que sa curiosité soit satisfaite.

Après son départ, Parker Pyne prit son chapeau, sa canne et sortit. Il souriait tout en marchant et atteignit enfin un petit café, désert à cette heure et qui donnait sur la Corne d'Or. De l'autre côté, les mosquées d'Istamboul élevaient leurs élégants minarets dans le ciel et la vue était magnifique.

Le détective s'assit, commanda deux cafés qu'on lui apporta. Quelqu'un s'assit en face de lui: c'était Edouard Jeffries.

— J'ai demandé une tasse pour vous, lui dit-il.

Jeffries se pencha et demanda:

— Comment avez-vous appris?

Parker Pyne but une gorgée de café et répondit:

— Votre femme vous a-t-elle parlé de ce qu'elle avait lu sur le buvard? NON? Elle vous le dira, pour l'instant, elle a dû oublier.

Il raconta l'incident, puis continua:

— Cela expliquerait l'étrange incident qui s'est produit juste avant Venise... Pour une raison ou pour une autre, vous vouliez faire voler les bijoux de votre femme. Mais pourquoi écriviez-vous « juste avant Venise serait le meilleur endroit »? Cela paraissait n'avoir aucun sens! Pourquoi ne laissiez-vous pas votre employée libre de choisir l'endroit et l'heure? Brusquement, j'ai compris: *les bijoux de votre femme avaient été volés avant que vous ne quittiez Londres et remplacés par des imitations.*

« Toutefois, cet arrangement ne vous plaisait pas, car vous êtes honnête et consciencieux et vous eussiez été navré qu'un domestique ou une autre personne innocente soit soupçonné. Il fallait donc préparer un vol, mais de manière à ce que nul de vos familiers ne soit accusé.

« Vous avez remis une clef de la mallette à votre mandataire ainsi qu'une bombe fumigène. Au moment voulu, elle devait donner l'alarme, se précipiter dans le compartiment de votre

femme, ouvrir sa boîte à bijoux et jeter les
faux joyaux à la mer. On la soupçonnerait et
la fouillerait, mais les bijoux n'étant pas en sa
possession, on ne pourrait l'inculper... Le choix
de l'endroit s'expliquait: si on avait simplement
précipité le contenu de la mallette sur la ligne,
il pouvait être retrouvé, d'où la nécessité d'agir
au moment où le convoi passait au-dessus de la
mer.

« Dans l'intervalle, vous vous arrangiez pour
vendre les bijoux précieux ici. Mon télégramme
vous est, heureusement, parvenu à temps. Vous
m'avez obéi et les avez déposés au *Tokatlian*
avant mon arrivée; vous saviez qu'autrement
je mettrais à exécution ma menace d'avertir la
police. Vous êtes également venu me rejoindre dans ce café...

Edouard Jeffries regarda son interlocuteur
d'un air suppliant; c'était un beau garçon
blond, aux yeux naïfs, il murmura:

— Comment puis-je me faire comprendre?
Vous devez me prendre pour un vulgaire
voleur...

— Pas du tout; je crois au contraire, que vous
êtes exagérément honnête. J'ai l'habitude de
classer les gens! Vous appartenez, cher Monsieur, à la catégorie des victimes... Maintenant,
expliquez-moi tout?

— Il me suffira d'un mot: chantage.

— Vraiment?

— Vous avez vu ma femme, vous devez comprendre à quel point elle est candide, innocente
et n'a aucune idée du mal...

— Oui.

— Elle a un idéal magnifique. Si jamais elle
apprenait que... que j'ai agi d'une manière
regrettable, elle me quitterait!

— Croyez-vous? Mais là n'est pas la question. *Qu'avez-vous fait*, mon jeune ami? Je suppose qu'il s'agit d'une affaire de femme?

Jeffries fit un signe affirmatif.

— Depuis votre mariage ou avant?

— Oh! avant, bien avant.

— Que s'est-il passé?

— Rien, absolument rien, et c'est bien ce
qu'il y a de pénible: j'étais dans un hôtel aux
Indes en même temps qu'une très jolie femme,
une certaine Mrs. Rossiter. Son mari était extrê-
mement violent et avait de terribles accès de
colère. Une nuit, il l'a menacée de son revolver... elle s'est sauvée et a frappé à ma porte,
folle de terreur. Elle... m'a supplié de la garder
jusqu'au lendemain matin. Je... que pouvais-
je faire?

Parker Pyne dévisagea le jeune homme qui
le regardait franchement. Il soupira et déclara:

— Pour parler nettement, on vous a pris
pour un imbécile!

— Comment?

— Oui. Il s'agit d'une très vieille ruse... qui réussit vis-à-vis de jeunes gens chevaleresques... Je suppose qu'on vous a fait chanter au moment où vos fiançailles ont été annoncées?

— Oui. J'ai reçu une lettre où l'on me prévenait que, faute d'envoyer une certaine somme, mon futur beau-père saurait que j'avais détourné cette jeune femme de son mari et qu'on l'avait vue entrer dans ma chambre. Le mari demanderait le divorce... bref, je faisais figure d'affreux séducteur...

Il s'essuya le front d'un air las.

— Je vois: vous avez payé et, de temps en temps, les demandes ont été réitérées?

— Oui; je ne pouvais plus disposer d'argent liquide... alors j'ai formé ce plan...

Jeffries prit sa tasse de café, maintenant froid, et la vida machinalement, puis demanda:

— Que puis-je faire?

— Vous laisser guider par moi. Je vais m'occuper de vos adversaires. Quant à votre femme, vous allez retourner auprès d'elle et vous lui direz la vérité... ou plutôt, une partie de la vérité. Le seul point où vous vous en écarterez aura trait à ce qu'il s'est passé aux Indes: il faut lui cacher que, je vous l'ai dit tout à l'heure, vous vous êtes conduit comme un enfant!

— Mais...

— Cher Monsieur, vous ne connaissez pas

les femmes: si l'une d'elles doit choisir entre un Don Juan et un imbécile, elle choisira le premier! Votre femme est une enfant charmante, innocente et de haute valeur morale. Si vous voulez qu'elle apprécie l'existence auprès de vous, il faut lui laisser croire qu'elle a transformé un libertin!

Edouard Jeffries regardait le détective avec stupeur.

— Croyez-moi! Pour l'instant, votre femme est éprise de vous; mais je crois savoir qu'il est possible que ce sentiment s'atténue si vous continuez à lui offrir l'aspect d'une telle vertu, qu'elle finira par la juger monotone.

Parker Pyne ajouta gentiment:

— Allez la trouver, mon enfant. Avouez-lui tout ce que vous avez fait... et davantage, puis déclarez-lui que dès l'instant où vous l'avez rencontrée, vous avez entièrement renoncé à cette existence répréhensible... Vous avez même volé pour qu'elle ne sache rien! Elle vous pardonnera avec joie!

— Mais puisqu'elle n'a en réalité rien à me pardonner?

— Qu'est-ce que la vérité? Mon expérience de la vie me conduit à penser que la vérité gâche tout et, que mentir à une femme, constitue la pierre angulaire du mariage. Elle en est ravie. Allez vous faire absoudre, mon ami, et vivez heureux! Je suppose que Mrs. Jeffries vous surveillera désormais en présence d'une jolie femme... certains maris en seraient agacés... mais je pense que cela ne vous gênera pas.

— Je ne regarderai jamais qu'Elsie, affirma Edouard.

— C'est parfait... mais ne lui dites pas. Aucune femme n'aime avoir une existence sentimentale trop simple!

— Vous croyez vraiment...

— J'en suis *certain*, répondit Parker Pyne avec assurance.

L'OFFICIER EN RETRAITE

Le major Wilbraham s'arrêta devant la porte du bureau de Mr. Parker Pyne et relut, une fois encore, l'annonce insérée dans le journal de ce matin-là et qui, malgré son laconisme, le décidait à tenter cette démarche.

Etes-vous heureux? Dans la négative, consultez-moi. Parker Pyne, 17, Richmond Street.

L'officier respira fortement puis, prenant son parti, franchit la porte tournante qui ouvrait sur la première pièce. Une jeune employée au visage ingrat, assise devant une machine à écrire, leva les yeux d'un air interrogateur.

Wilbraham rougit et demanda:

— Mr. Parker Pyne?

— Suivez-moi, je vous prie.

Elle le précéda dans un bureau occupé par son patron.

— Bonjour, Monsieur, dit celui-ci. Veuillez

vous asseoir et me mettre au courant de ce que je puis faire pour vous?

— Je me nomme Wilbraham...

— Major? Colonel?

— Major.

— Bien. Je suppose que vous venez de rentrer des colonies? Les Indes? L'Est Africain?

— L'Est Africain.

— J'ai entendu dire que le pays est superbe... Donc vous êtes revenu et vous n'êtes pas heureux... Est-ce exact?

— Absolument. Seulement, comment le savez-vous?

Parker Pyne fit un geste péremptoire.

— Ma profession consiste à ne rien ignorer. Voyez-vous, j'ai, pendant trente-cinq ans, travaillé à compulser des statistiques dans un service du gouvernement. Maintenant, j'ai pris ma retraite et j'ai eu l'idée d'appliquer mon expérience d'une manière différente. La question est fort simple: la tristesse peut être classée en cinq catégories, pas une de plus. Or, si l'on connaît la cause d'une maladie, le remède ne doit pas être impossible à trouver. Je me mets à la place du médecin. Celui-ci commence par porter un diagnostic, puis il ordonne un traitement. Certes, il y a des cas ou aucun remède n'est applicable. Alors, j'avoue franchement que je ne puis rien faire. Mais quand j'entreprends une guérison, le succès est à peu près garanti.

« Je puis vous affirmer, Major, que quatre-vingt-seize pour cent des bâtisseurs d'empire à la retraite — c'est ainsi que je les nomme — sont malheureux; ils ont échangé une existence active, pleine de responsabilités et même de dangers contre une vie moins large, un climat brumeux et l'impression d'être un poisson hors de l'eau.

— Vous avez bien raison, répondit le major. La monotonie et les interminables bavardages qui s'appliquent à de futiles histoires de village m'excèdent. Mais que puis-je faire? J'ai quelques revenus en plus de ma pension et une gentille maison près de Cobham. Cependant, je n'ai pas les moyens de suivre les chasses et de faire du sport. Je suis célibataire. J'ai cinquante ans. Mes voisins sont tous aimables, mais ils ont la vue courte.

— En somme, répondit Parker Pyne, vous trouvez l'existence trop simple?

— Je crois bien!

— Vous aimeriez vivre au milieu des complications, voire même du danger.

L'ancien soldat haussa les épaules.

— Il n'y a rien de semblable dans ce pays encroûté!

— Je vous demande pardon: vous vous trompez. Londres est plein de dangers et d'agitation... Vous n'avez vu que la surface calme de l'existence anglaise. Je puis vous montrer son autre aspect.

Wilbraham regarda son interlocuteur d'un air pensif. Il lui trouvait l'air sérieux avec sa corpulence, son front dégarni, ses grosses lunettes et ses yeux intelligents.

— Je dois seulement vous prévenir, reprit le détective, qu'il y a un risque à courir.

Le regard du major brilla.

— C'est parfait. Quel est votre prix?

— Cinquante livres payables d'avance; mais si dans un mois vous vous ennuyez toujours, je vous les rendrai.

— Cela me paraît équitable, répondit Wilbraham après un instant de réflexion. Je vais vous donner un chèque.

Une fois cette formalité accomplie, Parker Pyne pressa un bouton sur sa table et déclara:

— Il est treize heures; je vais vous prier d'inviter une jeune femme à déjeuner... Ah! Madeleine, reprit-il comme la porte s'ouvrait, permettez-moi de vous présenter le major Wilbraham qui va vous emmener au restaurant.

L'officier parut assez étonné, ce qui était normal, car celle qu'on lui présentait était brune, avait des yeux magnifiques, de longs cils, un teint de rose, une bouche pleine de

séduction et sa toilette rehaussait sa grâce naturelle.

— Je suis charmé, murmura Wilbraham.

— Miss de Selys, présenta Parker Pyne, qui
ajouta: J'ai votre adresse, Major. Demain matin, vous recevrez mes instructions.

L'officier et la belle Madeleine sortirent.

Cette dernière revint vers quinze heures.

— Eh bien? lui demanda Parker Pyne.

Elle secoua la tête.

— Il a peur de moi et me prend pour une
vamp.

— Je le prévoyais. Avez-vous agi ainsi que
je vous le conseillais?

— Oui. Nous avons étudié les autres clien-
tes au restaurant. Son type de femme est blond,
a les yeux bleus, l'air fragile; il ne les aime
pas très grandes.

— Voilà qui est facile. Passez-moi le regis-
tre B...

Le détective consulta une liste, puis ajouta:

— Ah! Freda Clegg! Trente-huit ans, célibataire. Je crois qu'elle remplira les conditions...
mais il faut que j'en parle à Mrs. Oliver.

Le lendemain, le major Wilbraham reçut un
mot ainsi libellé:

Lundi prochain, à onze heures, allez à Eagle-

mont-Friars Lane, Hampstead, et demandez
Mr. Jones. Vous direz que vous venez de la
part de la Société Maritime Guava.

Le lundi matin, qui se trouvait être férié, le
major se mit en route... mais il n'arriva jamais
à destination car les événements l'en empêchè-
rent. La ville entière paraissait se diriger vers
Hampstead. Il fut porté par la foule, à moitié
étouffé dans le métro et eut grand-peine à trouver Friars Lane.

C'était un cul-de-sac mal tenu, plein d'or-
nières bordé de maisons éloignées de la route;
elles avaient dû être belles, mais étaient tom-
bées en ruine.

Wilbraham longeait la route et regardait les
noms à demi effacés autrefois peints sur les
grilles quand, tout à coup, il entendit un cri
étouffé et s'arrêta pour écouter... Il se repro-
duisit et l'officier perçut le mot... « Secours! »
qui sortait de la maison devant laquelle il passait. Sans hésiter, il poussa la barrière bran-
lante et se précipita dans l'allée pleine d'herbe,
où il aperçut une jeune fille qui se débattait
entre deux immenses nègres; elle se défendait
vaillamment et ni ses agresseurs ni elle ne
virent approcher Wilbraham qui porta un violent coup de poing au visage d'un des noirs;
il tituba et le major attaqua son complice avec
une telle force qu'il roula sur le sol... Les deux

hommes se redressèrent et s'enfuirent pendant
que le major se tournait vers la jeune fille qui,
haletante, s'appuyait contre un arbre.

— Oh! merci! murmura-t-elle. J'ai eu bien
peur!

Wilbraham vit alors que la rescapée était
blonde, avait les yeux bleus et semblait assez
fragile.

— Venez, lui dit-il. Je crois que nous ferons
bien de nous éloigner car ces brutes pourraient
revenir.

— Oh! non! je ne crois pas; grâce à la manière dont vous les avez corrigés! Vous avez
été magnifique!

L'officier rougit devant son regard admiratif
et marmotta:

— Ce n'est rien! Voulez-vous prendre mon
bras et pourrez-vous marcher après une semblable émotion?

Elle tremblait encore, mais s'appuya sur le
bras qui s'offrait et jeta un regard vers la maison.

— Je ne comprends pas! murmura-t-elle.
Cette habitation semble vide!

— Sûrement, répondit le major en exami-
nant les volets fermés et l'aspect vétuste de l'immeuble.

— Pourtant, reprit-elle en montrant un nom
à demi effacé, c'est bien « Whitefriars » et c'est
là que je devais me rendre.

— Ne vous tourmentez pas pour l'instant. Dans une minute, nous pourrons trouver un taxi et nous irons boire une tasse de café.

Au bout du sentier, ils atteignirent une rue plus fréquentée et eurent la chance de voir un taxi déposer ses clients devant un immeuble proche. Wilbraham héla le chauffeur, lui donna une adresse et monta dans la voiture derrière la jeune fille.

— Ne parlez pas, lui dit-il. Vous venez d'avoir un sérieux choc... Je m'appelle Wilbraham.

— Et moi Clegg, Freda Clegg.

Dix minutes après, elle buvait du café chaud et regardait avec reconnaissance son sauveur assis en face d'elle.

— C'est un rêve... un mauvais rêve! Dire qu'il y a peu de temps je souhaitais que ma vie soit moins uniforme! Maintenant, j'ai horreur des aventures!

— Expliquez-moi ce qu'il s'est passé.

— Il va falloir que je vous parle beaucoup de moi!

— J'en serai charmé, répondit le major en s'inclinant.

— Je suis orpheline, mon père, qui était officier dans la marine marchande, mourut quand j'avais dix-huit ans, ma mère est morte il y a trois ans. Je travaille dans la Cité où je suis secrétaire à la Compagnie du Gaz. La semaine

dernière, en rentrant chez moi, j'ai trouvé un
monsieur qui m'attendait: c'était un homme
de loi de Melbourne, un certain Reed. Il se montra fort poli et me posa plusieurs questions au
sujet de ma famille; puis il m'expliqua qu'il
avait connu mon père autrefois et avait été
chargé par lui d'une affaire d'intérêt. Enfin,
il m'exposa l'objet de sa visite: « Miss Clegg, je
crois savoir que vous pourriez bénéficier d'une
transaction financière faite par votre père plusieurs années avant sa mort. »

« Bien entendu, j'étais très étonnée, et il continua: « Il me paraît peu probable que vous
en ayez jamais entendu parler. D'autant plus
que John Clegg n'y a pas attaché d'importance
Cependant l'affaire s'est brusquement montrée
rentable, toutefois, pour en bénéficier, il faudrait que vous possédiez certains papiers, ils
ont dû faire partie de ceux dont vous avez
hérité après la mort de votre père, mais il est
possible qu'ils aient été détruits comme
n'ayant aucune valeur. Avez-vous gardé ces
papiers? »

« Je lui expliquai que ma mère avait con-
servé divers souvenirs de son mari dans un
vieux coffre qu'il avait à bord. J'y avais jeté
un coup d'œil, mais n'y avais rien vu de sen-
sationnel. « Sans doute, répondit Reed en souriant, n'étiez-vous pas à même d'en deviner l'importance. »

« J'allai ouvrir le coffre et apportai à mon
visiteur les quelques documents qu'il contenait.
Il les regarda et déclara ne pas pouvoir, à première vue, se rendre compte de ce qui avait
trait à l'affaire en question. Il m'offrit de les
emporter et de me tenir au courant de ce qu'il
trouverait d'intéressant. Samedi, au dernier
courrier, j'ai reçu une lettre me proposant de
venir à Whitefriars, Friars Lane, Hampstead,
ce matin à onze heures moins un quart pour
discuter de l'affaire.

« J'étais un peu en retard car j'avais eu de
la difficulté à trouver la maison et je me hâtais
de longer l'allée quand ces deux affreux nègres
ont surgi des buissons et sauté sur moi. Je n'ai
pas eu le temps de crier, car l'un d'eux a mis
sa main sur ma bouche. Mais je me suis déga-
gée et j'ai appelé au secours... Grâce au ciel,
vous m'avez entendue... autrement...

Son regard laissait deviner sa terreur.

— Je suis heureux de m'être trouvé là et je
voudrais remettre la main sur ces brutes! Je
suppose que vous ne les aviez jamais vus auparavant?

La jeune fille secoua négativement la tête et
demanda:

— A votre avis, qu'est-ce que cela signifie?

— C'est difficile à dire. Cependant, un point
paraît certain: il y a dans les papiers de votre
père quelque chose qu'on veut trouver. Ce Reed

vous a raconté n'importe quoi pour avoir l'occasion de les examiner, mais ce qu'il cherchait n'y était pas.

— Oh! s'écria Freda, je me demande... Quand je suis rentrée samedi soir, j'ai eu l'impression qu'on avait fouillé ma chambre. J'ai cru que ma logeuse l'avait fait par curiosité... **mais** à présent...

— Vous pouvez être sûre que quelqu'un s'est introduit chez vous et a cherché, sans succès, ce qu'il pouvait s'approprier; il a dû penser que vous aviez découvert la valeur du document quel qu'il fût et le transportiez sur vous. Alors, il a organisé ce guet-apens. Si l'on avait trouvé le papier, on vous l'eût arraché, autrement, on vous aurait gardée prisonnière pour essayer de vous faire avouer où vous l'aviez caché.

— Mais de quoi peut-il bien s'agir?

— Je l'ignore. Cependant, l'individu le juge précieux pour avoir essayé ainsi de s'en emparer!

— C'est invraisemblable!

— Croyez-vous? Votre père était marin; il a pu, au cours de ses voyages en pays lointains, entrer en possession d'un secret dont il n'a même pas deviné la valeur.

— Serait-ce possible? murmura Freda dont les joues pâles se teintèrent sous l'empire de l'émotion.

— Oui. Mais qu'allons-nous faire? Je suppose que vous ne tenez pas à avertir la police?

— Oh! non!

— Vous avez raison; je ne vois pas ce qu'elle
pourrait faire et cela vous causerait des ennuis.
Je vous propose de me permettre de vous offrir
à déjeuner, puis de vous accompagner chez
vous afin d'être sûr que vous y arriverez sans
encombre. Puis nous pourrions chercher ce papier qui doit se trouver quelque part.

— Mon père a pu le détruire lui-même.

— Evidemment; mais ces gens-là ne le
croient pas, ce qui nous donne de l'espoir.

— Qu'est-ce que cela peut être? Un trésor
caché?

— C'est possible! s'écria le major qui redevenait enfant. Allons déjeuner!

Le repas fut fort agréable. Wilbraham raconta son séjour dans l'Est Africain et décrivit
ses chasses à l'éléphant, ce qui enthousiasma
Freda. Ensuite, il la ramena chez elle en taxi
et elle commença par interroger sa propriétaire. Après quoi elle conduisit l'officier au
second étage où elle occupait deux petites pièces, salon et chambre.

— C'est bien ce que nous pensions, déclara-t-elle. Un ouvrier est venu samedi matin
sous prétexte d'installer un nouveau câble électrique et a dit que les fils de ma chambre étaient
en mauvais état.

— Montrez-moi le coffre de votre père?

Freda prit un coffret cerclé de cuivre, en souleva le couvercle et dit:

— Vous le voyez, il est vide!

Wilbraham réfléchissait.

— Etes-vous sûre qu'il n'y a pas d'autres
papiers ailleurs?

— Certaine. Maman les gardait tous dans
cette boîte.

Le major examina l'intérieur du coffret et
poussa une exclamation:

— Il y a une fente dans la doublure!

Il y passa la main, tâta avec précaution et
entendit un léger craquement.

— Quelque chose a glissé derrière!

Il ramena sa trouvaille: un morceau de
papier fort sale, plié plusieurs fois et l'étendit sur une table. Freda qui regardait par-
dessus son épaule, poussa une exclamation de
dépit:

— Il n'y a que de drôles de gribouillages!

— Mais c'est du *swahili!* Le dialecte est-afri-
cain!

— C'est extraordinaire! Savez-vous le lire!

— Je crois bien! Mais c'est stupéfiant!

Le major alla examiner la feuille devant la
fenêtre, en lut et relut le texte, puis revint vers
Freda en souriant.

— Voici votre trésor caché!

— Non! Pas possible! Qu'est-ce? Une galère espagnole coulée?

— Ce n'est pas tout à fait aussi romanesque, mais cela revient au même. Ce papier indique la cachette d'un lot d'ivoire.

— D'ivoire? dit la jeune fille stupéfaite.

— Oui. Il existe une loi qui ne permet d'abattre qu'un certain nombre d'éléphants. Or, un chasseur n'en a pas tenu compte. On le traquait et il a caché son butin... qui est important. Cette feuille indique assez clairement où le trouver. Il va nous falloir partir à sa recherche.

— Vous croyez que cela représente une jolie somme?

— Vous aurez là une petite fortune agréable.

— Mais comment ce papier s'est-il trouvé parmi ceux de mon père?

Wilbraham haussa les épaules.

— Peut-être que le chasseur était mourant. Il avait rédigé son explication en swahili pour éviter les indiscrétions et l'avait donnée à votre père qui lui avait peut-être rendu service. Celui-ci ne pouvant la déchiffrer, n'y a pas attaché d'importance... Ce n'est qu'une supposition, mais je ne serais pas étonné qu'elle fût juste.

Freda soupira:

— C'est passionnant!

— Seulement, reprit le major, qu'allons-nous faire de ce précieux document? Cela m'ennuie de le laisser ici, car ces gens pourraient revenir voir. Accepteriez-vous de me le confier?

— Bien sûr. Mais... ne serait-ce pas dangereux pour vous?

— Je suis coriace. Ne vous inquiétez pas à mon sujet.

Wilbraham plia le papier et le rangea dans son portefeuille, puis il ajouta:

— Puis-je venir vous voir demain? J'aurai formé un projet et situé l'endroit sur la carte. A quelle heure rentrez-vous de la Cité?

— Vers dix-huit heures trente.

— Très bien. Nous tiendrons une conférence et vous me laisserez vous emmener dîner pour commémorer l'événement. Donc, à demain.

Le major fut exact et, le lendemain, il sonnait à la porte de la maison. Une domestique lui ouvrit et répondit à sa demande:

— Miss Clegg est sortie.

— Je reviendrai, dit-il.

Puis il fit les cent pas dans la rue pour attendre. Le temps passa. A dix-neuf heures, inquiet, il retourna sonner et dit à la servante:

— J'avais rendez-vous avec Miss Clegg à dix-huit heures trente. Etes-vous sûre qu'elle n'est pas là ou n'a laissé aucun message?

— Etes-vous le major Wilbraham?

— Oui.

— Alors, on a apporté une lettre pour vous.
Il saisit l'enveloppe, l'ouvrit et lut:

Cher Major,
*Il se produit une chose étrange. Je ne puis
écrire davantage. Voulez-vous venir me rejoindre à Whitefriars dès que vous recevrez ceci?*
Bien à vous.

Freda Clegg.

Un effort de réflexion fit froncer les sourcils de Wilbraham qui tira, d'un air absent,
une lettre de sa poche; elle était adressée à son
tailleur.

— Je me demande, dit-il à la servante, si
vous pourriez me procurer un timbre.

— Je pense que Mrs. Parkins doit en avoir.

Elle ne tarda pas à reparaître en apportant un
timbre que le major paya très largement. Puis
il se dirigea vers une station de métro londo-
nien et jeta la lettre dans une boîte en passant.

Le mot de Freda l'avait inquiété. Pourquoi
s'était-elle rendue, seule, sur les lieux de sa
sinistre aventure de la veille? C'était fort im-
prudent! Reed était-il revenu et avait-il pu per-
suader Freda qu'elle devait avoir confiance en
lui?

Wilbraham consulta sa montre: il était près
de dix-neuf heures trente. Freda avait espéré

qu'il se mettrait en route une heure plus tôt...
Du reste, le ton cavalier de son message le troublait, car il ne lui paraissait pas en accord avec
le caractère de la jeune fille.

Il était dix-neuf heures cinquante lorsqu'il
atteignit Friars Lane; le crépuscule tombait.
Ayant regardé autour de lui, il ne vit personne
et poussa la vieille barrière doucement. L'ave-
nue était déserte et la maison paraissait plon-
gée dans l'obscurité. Il avança lentement, en
fouillant les alentours du regard afin de ne pas
être attaqué par surprise.

Tout à coup, il s'arrêta car un rayon lumi-
neux avait glissé sous une persienne. Donc, la
maison n'était pas vide.

Le major pénétra dans le fourré et fit, sans
bruit, le tour de la construction; il ne tarda pas
à trouver ce qu'il cherchait: une fenêtre mal
fermée qui donnait sur une arrière-cuisine. Il
la poussa, alluma une torche électrique qu'il
avait achetée en route, éclaira l'intérieur de la
pièce et grimpa sur l'entablement.

Il ouvrit la porte intérieure, n'entendit rien
et fit encore jouer sa torche; il se trouvait dans
une cuisine vide où quelques marches surmon-
tées d'une porte devaient conduire à l'entrée
de la maison. Ayant poussé la porte, il se rendit compte qu'il allait pénétrer dans un grand
vestibule aussi silencieux que le reste. Devant
lui se trouvaient deux portes, une à droite, l'au-

tre à gauche. Il choisit la première, tourna le
bouton qui obéit et avança. Sa lampe électrique lui montra une pièce nue. Au même instant, il perçut un mouvement derrière lui, se
tourna... trop tard. Il reçut un coup sur la tête
et sentit qu'on lui appliquait un mouchoir sous
le nez...

Wilbraham ne put se rendre compte du temps
qui s'écoula avant qu'il reprit conscience... et,
quand il essaya de bouger, il comprit qu'il était
ligoté.

Une vague lueur lui montra qu'il se trouvait
dans un petit cellier; ayant regardé autour de
lui il tressaillit: Freda, attachée comme lui, était
étendue à quelques pas; elle avait les yeux
fermés mais, tandis qu'il la contemplait avec
effroi, elle soupira, souleva les paupières,
regarda Wilbraham, le reconnut et murmura:

— Comment, vous aussi! Que s'est-il passé?
dans cette maison...

— On m'a tendu un piège. Vous m'avez
envoyé un mot me demandant de venir vous
rejoindre dans cette maison...

Elle ouvrit de grands yeux étonnés:

— *Moi?* Mais c'est *vous* qui m'avez écrit!

— Je vous ai écrit?

— Oui, j'ai reçu la lettre à mon bureau. Vous
me donniez rendez-vous ici plutôt que chez
moi.

— On a employé le même procédé pour

nous deux... grommela Wilbraham qui exposa
la situation.

— Je comprends, dit Freda. On voulait...

— S'emparer du papier. Nous avons dû être
suivis hier! C'est ainsi qu'on m'a identifié.

— Vous ont-ils pris la feuille?

— Je ne puis malheureusement pas m'en
assurer, dit le major en regardant tristement
ses mains liées.

Au même instant, tous deux tressaillirent car
une voix parut sortir du mur:

— Oui, merci, je l'ai, il n'y a pas d'erreur.

— Mr. Reed, murmura la jeune fille.

— Reed n'est qu'un de mes nombreux noms,
chère Mademoiselle, reprit la voix. Maintenant,
j'ai le regret de vous dire que vous avez tous
deux nui à mes projets, chose que je n'admets
pas. Le fait que vous ayez trouvé cette maison
me gêne énormément. Vous ne l'avez pas
encore signalée à la police, mais il se pourrait
que vous le fassiez. Or, cette maison m'est fort
utile car on n'en revient jamais... On va... ailleurs. Tel va être votre cas. C'est regrettable,
mais nécessaire.

La voix s'interrompit une seconde puis ajouta:

— Pas d'effusion de sang, j'en ai horreur.
Mon système est beaucoup plus simple et, je
crois, peu douloureux. Allons, il faut que je
parte. Bonsoir!

— Ecoutez, s'écria Wilbraham, faites de moi

ce que vous voudrez mais cette jeune fille n'est
aucunement coupable et vous pouvez lui rendre la liberté sans inconvénient!

Il n'y eut aucune réponse.

Tout à coup Freda jeta un cri:

— L'eau!

Le major se retourna avec difficulté et suivit
la direction du regard de Freda. Une espèce
de petit ruisseau coulait d'un trou dans le plafond.

La jeune fille haleta:

— Il va nous noyer!

Le front de Wilbraham se couvrit de sueur.

— Nous ne sommes pas encore perdus. Appe-
lons à l'aide! Il est impossible qu'on ne nous
entende pas...

Ils se mirent à crier tant qu'ils purent, mais
sans résultat.

— Inutile, dit tristement l'officier. Nous sommes sous terre et il est probable que les portes
sont matelassées. Si l'on avait pu nous entendre, cette brute nous eût bâillonnés.

— Oh! sanglota Freda, c'est ma faute et je
vous ai entraîné à ma suite!

— Ne vous inquiétez pas, petite fille! C'est
à vous que je pense. J'ai souvent couru des
dangers et m'en suis tiré. Ne perdez pas courage, nous en sortirons car nous avons le temps.
Avant que l'eau ne monte trop, des heures
s'écouleront...

— Vous êtes admirable! Je n'ai jamais rencontré quelqu'un comme vous... sauf dans les romans!

— Allons donc! C'est une simple question de bon sens. Il faut que je desserre ces maudites cordes.

A force de tirer et de remuer, Wilbraham sentit, au bout d'un quart d'heure, ses liens se relâcher; il parvint à pencher la tête et à lever les poignets pour attaquer les nœuds avec ses dents. Une fois qu'il eut les mains libres, le reste devint plus simple et, ankylosé mais énergique, il libéra Freda. L'eau ne leur arrivait qu'à la cheville.

— Maintenant, dit le major, sortons d'ici...

La porte du cellier était surélevée de quelques marches. Wilbraham alla l'examiner et déclara:

— Pas de problème, ici le bois est mince et les charnières céderont.

Il appuya ses épaules contre le battant et fit un effort... la porte craqua et sortit de ses gonds. De l'autre côté, il y avait un escalier et une seconde porte, beaucoup plus épaisse, munie de barres de fer.

— Ceci va être plus difficile, dit le major. Oh! quelle chance! Elle n'est pas fermée à clef!

Il la poussa, regarda de l'autre côté et fit signe à Freda de le rejoindre dans le couloir

qui longeait la cuisine. Un instant après ils
étaient sur la route. La jeune fille sanglotait et
murmurait:

— C'était épouvantable!

— Pauvre chérie! (Il la prit dans ses bras en
disant:) Vous avez eu un courage admirable!
Freda, voulez-vous... je vous aime... acceptez-
vous de m'épouser?

Au bout de quelques minutes consacrées à
la tendresse, Wilbraham déclara fièrement:

— Et nous avons même le secret de la
cachette où se trouve l'ivoire!

— Mais on vous a volé le papier!

Il sourit:

— Pas du tout! J'en ai fait une copie fantai-
siste et, avant de venir vous rejoindre ici, j'ai
mis l'original dans une lettre destinée à mon
tailleur et l'ai jetée à la poste. Ces voleurs n'ont
que la copie et je leur souhaite de l'agrément
quand ils voudront s'en servir. Savez-vous ce
que nous ferons, ma douce? Notre voyage de
noces en Afrique du Sud et nous chercherons
la cachette!

Mr. Parker Pyne sortit de son bureau et
monta deux étages. Arrivé au dernier, il entra
dans une pièce occupée par Mrs. Oliver, la
romancière bien connue, qui faisait maintenant
partie de son équipe. Elle était assise devant

une machine à écrire posée sur une table
encombrée de carnets, de manuscrits et d'un
grand sac rempli de pommes.

— Vous avez créé une situation parfaite, lui
dit aimablement Parker Pyne.

— Cela a bien marché? J'en suis ravie.

— En ce qui concerne l'eau dans la cave,
reprit le détective avec quelque embarras, vous
ne croyez pas qu'une autre fois... nous pourrions avoir une idée plus originale?

Mrs. Oliver secoua la tête, prit une pomme
dans le sac et répondit:

— Je ne suis pas de cet avis: voyez-vous le
public a l'habitude de lire ce genre de récits:
celliers inondés, gaz toxiques, etc., de sorte
qu'il est beaucoup plus effrayé quand il en
est victime lui-même. Les gens sont très conser-
vateurs et apprécient volontiers les systèmes
connus.

— Vous devez le savoir, reconnut son asso-
cié qui se souvenait des quarante-six romans
à succès de Mrs. Oliver, traduits en français,
allemand, italien, hongrois, finnois, japonais et
autres langues. Quelles dépenses avons-nous
engagées?

La romancière prit une feuille sur son bureau
et déclara:

— Plutôt modestes, en somme; Percy et
Jerry, les deux nègres, ont été très raisonnables.

Le jeune acteur a accepté de jouer le rôle de
Reed pour cinq guinées. Le petit speech de la
cave n'était qu'un enregistrement sur phono-
graphe.

— Whitefriars m'est vraiment utile, dit Parker Pyne. J'ai acheté cette maison pour presque rien et elle m'a déjà servi de décor pour
onze scènes dramatiques.

— Oh! j'oubliais le salaire de Johnny, ajouta
Mrs. Oliver. Cinq shillings.

— Johnny?

— Oui; le gamin qui a versé l'eau dans le
trou du plafond avec un tuyau.

— C'est vrai. Dites-moi, chère Madame, où
avez-vous appris le swahili?

— Nulle part. Je me suis renseignée dans
un bureau international. La seule chose qui me
tourmente, c'est que nos deux héros ne trou-
veront pas d'ivoire quand ils iront en Afrique!

— On ne peut tout avoir! répliqua le détective. Or, ils auront une lune de miel.

Mrs. Wilbraham était assise sur une chaise
paquebot. Son mari écrivait une lettre.

— Quel jour sommes-nous, Freda? demanda-t-il?

— Le 16.

— Le 16! Sapristi!

— Qu'y a-t-il, chéri?

— Rien. Je pensais simplement à un garçon qui s'appelle Jones.

Même quand on est heureux en ménage, il y a des choses qu'on ne raconte pas. Le major Wilbraham pensait:

« *J'aurais dû aller me faire rembourser mon argent.* »

Puis, comme il était juste, il examina l'autre aspect de l'affaire: « En somme, c'est moi qui ai résilié le contrat. Je suppose que si j'étais allé voir Jones, il se serait produit un événement. Mais si je n'avais pas été en route pour chez lui, je n'aurais pas entendu l'appel de Freda et nous ne nous serions jamais rencontrés. Donc, ce Parker Pyne a indirectement gagné ces cinquante livres. »

De son côté, Mrs. Wilbraham pensait:

— J'ai été bien sotte de croire que cette annonce pouvait donner un résultat et de payer trois guinées. Ces gens n'ont rien fait et il ne m'est rien arrivé grâce à eux. Si j'avais pu prévoir ce qui devait se produire! D'abord, la visite de Mr. Reed et ensuite la manière romanesque dont Charlie est entré dans ma vie! Dire que sans une véritable chance, j'aurais pu ne jamais le connaître. »

Elle se tourna et regarda son mari avec adoration.

LA MAISON DE CHIRAZ

Il était six heures du matin quand Mr. Parker Pyne partit pour la Perse, après une escale à Bagdad.

Les places étaient limitées dans le petit avion et les sièges étroits ne parurent guère confortables au corpulent détective.

Il y avait deux autres passagers: un gros homme rougeaud qui devait être bavard et une femme maigre aux lèvres serrées et à l'air résolu.

« Heureusement, pensa Parker, ils ne paraissent pas appartenir à la catégorie des gens qui veulent me consulter. »

C'était exact. La femme était une missionnaire américaine, pleine de zèle et satisfaite de son sort. L'homme était employé dans une compagnie pétrolière. Tous deux l'avaient dit à leur compagnon de voyage avant le départ de l'avion et il s'était contenté de répondre: « Je suis un simple touriste et je vais à Téhéran,

Ispahan et Chiraz... » Ces noms lui plaisaient
et il les répéta pour les entendre à nouveau.
Puis, il contempla le désert qui se déroulait
sous ses pieds et en goûta le mystère.

L'avion se posa à Kermanchah, pour le con-
trôle douanier. On ouvrit une des valises de
Parker Pyne et on examina avec inquiétude une
petite boîte en carton. Le voyageur fut inter-
rogé, mais comme il n'entendait ni ne parlait
le persan, la conversation s'avéra difficile.

Le pilote s'approcha. C'était un bel Allemand
blond, aux yeux bleus, à la figure tannée.

— S'il vous plaît? demanda-t-il aimablement.

Parker Pyne qui avait, sans succès, tenté de
s'expliquer par gestes, se tourna vers lui avec
soulagement:

— C'est de la poudre insecticide. Croyez-
vous pouvoir le faire comprendre?

Le pilote parut étonné et répéta:

— S'il vous plaît?

Parker traduisit sa réponse en allemand. Le
jeune homme sourit et la répéta en persan. Les
fonctionnaires parurent soulagés; leurs visages
sombres se détendirent et l'un d'eux se mit
même à rire.

Les trois voyageurs remontèrent dans l'avion
qui repartit. Il piqua à Hamadan pour jeter les
sacs postaux mais sans s'arrêter. Parker Pyne

tenta de distinguer le rocher de Béhistoun, site romanesque où Darius exulta la grandeur de son empire en trois idiomes différents: Babylonien, Mède et Persan.

On atteignit Téhéran vers treize heures et il y eut de nouvelles formalités. Le pilote allemand s'était approché et souriait pendant que son passager anglais répondait au hasard à un interrogatoire auquel il ne comprenait rien.

— Qu'ai-je dit? demanda-t-il au pilote.

— Que votre père se prénommait « Touriste », que votre profession est « Charles », que le nom de votre mère est « Bagdad » et que vous arrivez « d'Harriet »!

— Est-ce dangereux?

— Pas du tout; il suffit de répondre n'importe quoi, ils n'en demandent pas plus.

Téhéran déçut le détective qui trouva la ville par trop moderne. Il le déclara à Herr Schlagal, le pilote, qu'il rencontra le lendemain soir comme il entrait dans son hôtel, puis, il l'invita à dîner et l'aviateur accepta.

Un serveur géorgien s'empressa autour d'eux, prit la commande et le repas se déroula. Quand on apporta l'entremets, sorte de gâteau gluant au chocolat, l'Allemand demanda:

— Donc, vous allez à Chiraz?

— Oui, par avion. Je reviendrai ensuite à

Ispahan et Téhéran pour la route. Est-ce vous qui me conduirez demain à Chiraz?

— Ach! non. Je retourne à Bagdad.

— Y a-t-il longtemps que vous êtes par ici?

— Trois ans, depuis que nos services y fonctionnent. Jusqu'à présent, nous n'avons jamais eu d'accident... unberufen!

Il toucha le bois de la table.

On apporta le café et les deux hommes causèrent en fumant.

— Mes premiers passagers étaient deux dames anglaises, murmura Schlagal d'un air rêveur. L'une était une jeune demoiselle, de très bonne famille, fille d'un de vos ministres. Comment les appelez-vous? Ah! oui, lady Esther Carr... Elle était très belle mais folle.

— Folle?

— Complètement. Elle habite une grande maison indigène à Chiraz et s'habille à l'orientale; elle ne veut pas voir d'Européens! Est-ce une vie pour une femme bien née?

— Il y en a eu d'autres, répondit Parker Pyne, notamment lady Hester Stanhope...

— Celle-ci est folle! interrompit le pilote. On le voit à ses yeux. Pendant la guerre, le commandant de mon sous-marin avait le même regard. Il est maintenant dans un asile d'aliénés.

Parker Pyne était songeur. Il se souvenait de lord Micheldever, père de lady Esther Carr, sous

les ordres duquel il avait travaillé, quand le
grand politicien blond aux yeux bleus rieurs
était secrétaire d'Etat. Il avait également vu
lady Micheldever, beauté irlandaise célèbre,
aux cheveux noirs et aux yeux bleus. Tous deux
étaient normaux mais il y avait eu des cas de
folie dans la famille Carr et ils se reprodui-
saient de temps à autre, au cours des généra-
tions.

Cependant le détective s'étonnait que Schlagal en parlât.

— Et l'autre Anglaise? lui demanda-t-il.

— Elle... est morte.

L'intonation du jeune aviateur le frappa.

— J'ai un cœur, reprit l'Allemand. A mes
yeux, cette jeune fille était la plus belle créature qui soit! Vous savez comment les sentiments s'emparent de vous tout d'un coup. C'était
une fleur... une vraie fleur... (Il soupira pro-
fondément puis continua:) Je suis allé les voir
une fois... dans la maison de Chiraz. Lady
Esther m'avait invité... mais ma petite fleur
avait peur... j'en étais sûr. Quand je suis revenu
de Bagdad au voyage suivant, j'ai appris qu'elle
était morte... Morte!

Il se tut encore et ajouta d'un ton pensif:

— Il est possible que l'autre l'ait tuée... Elle
était folle, je vous assure!

Il soupira encore et Parker Pyne commanda
deux verres de Bénédictine.

— Le curaçao il est bon, déclara le serveur
géorgien... et il servit deux curaçaos.

Le lendemain, juste après midi, Parker Pyne
aperçut Chiraz. L'avion avait survolé des chaî-
nes de montagnes séparées par d'étroites val-
lées arides et désolées. Puis, soudain, Chiraz
avait paru tel un bijou d'émeraude au cœur du
désert.

Le détective avait beaucoup mieux apprécié
cette ville qu'il n'avait goûté Téhéran. L'hôtel
primitif ne lui déplut pas, non plus que les rues
mal pavées.

Il était arrivé en pleine fête du Nan Ruz qui
équivaut pour les Perses au Nouvel An et dure
quinze jours.

Parker Pyne sortit un jour de la ville pour
voir la tombe du poète Hafiz et il en revenait
quand il découvrit une maison qui le charma:
elle était construite en tuiles bleues, roses et
jaunes, entourée d'un jardin verdoyant plein
d'orangers, de rosiers et de fontaines. Un rêve!

Comme il dînait ce soir-là chez le Consul
anglais il lui en parla:

— Elle est ravissante, n'est-ce pas? dit son
hôte. Elle a été construite autrefois par un
ancien gouverneur du Louristan qui avait fait
fortune. Actuellement, elle appartient à une
Anglaise dont vous devez avoir entendu parler: lady Esther Carr. Elle est folle à lier et
elle est devenue complètement indigène. Elle

ne veut avoir aucun rapport avec les Britanniques.

— Est-elle jeune?

— Beaucoup trop pour expliquer son attitude! Environ trente ans.

— N'y avait-il pas une autre Anglaise avec elle? Une femme qui est morte?

— Oui, il y a environ trois ans. Cela s'est passé le lendemain du jour où je suis arrivé ici. Mon prédécesseur, Barham, est mort subitement.

— Comment est-elle morte?

— Elle est tombée du balcon qui est au premier étage. C'était la demoiselle de compagnie de lady Esther ou sa femme de chambre... je ne me souviens plus au juste. En tout cas, elle portait le plateau du déjeuner et a glissé par-dessus la balustrade! Il n'y avait rien à faire car elle s'est rompu le cou sur le dallage de la cour.

— Comment s'appelait-elle?

— King, je crois... ou Wills... Non, c'est la missionnaire qui se nomme Wills. C'était une jolie fille.

— Lady Esther a-t-elle été bouleversée?

— Oui... non, je n'en sais rien! Elle a eu une attitude bizarre et je n'ai pu deviner ce qu'elle pensait. Elle est... tout à fait autoritaire et on se rend compte qu'elle occupe un rang élevé.

Son air hautain et ses yeux noirs flamboyants
m'ont presque fait peur!

Le Consul se mit à rire d'un air confus et
regarda Parker Pyne dont les yeux étaient fixés
au loin; il venait de frotter une allumette et la
laissait flamber entre ses doigts... la flamme le
brûla et il jeta le bout de bois en poussant un
petit cri de douleur... puis, voyant l'expression
étonnée de son hôte, il lui dit:

— Je vous demande pardon!

— Vous étiez dans les nuages?

— Et même très haut...

La conversation roula sur d'autres sujets.

Cette nuit-là, Parker Pyne écrivit une lettre à
la clarté d'une petite lampe à huile... mais il
hésita longtemps avant de la rédiger. Le texte
en était, pourtant, fort simple:

*Mr. Parker Pyne présente ses compliments à
lady Esther Carr et se permet de lui faire savoir
qu'il restera trois jours à l'Hôtel Fars, au cas
où elle voudrait le consulter.*

Il joignit à sa lettre une coupure de sa
fameuse annonce:

*Etes-vous heureux? Dans la négative, consul-
tez Mr. Parker Pyne, 17, Richmond Street,
Londres.*

— Je pense que cela suffira, se dit-il en se couchant. Voyons, il y a près de trois ans... oui, cela doit réussir.

Le lendemain après-midi, un serviteur persan qui ne savait pas un mot d'anglais, apporta la réponse:

Lady Esther Carr serait fort obligée à Mr. Parker Pyne s'il voulait lui faire une visite ce soir, à neuf heures.

Le détective sourit.

Ce fut le même serviteur qui lui ouvrit, le soir et, après lui avoir fait traverser le jardin obscur, le conduisit vers un escalier extérieur qui se trouvait à l'arrière de la maison. Il ouvrit une porte et introduisit le visiteur sur un balcon. Une femme y était allongée sur un divan.

Lady Esther était vêtue à l'orientale et on pouvait deviner qu'elle préférait cette mode qui s'harmonisait avec sa beauté.

Le Consul avait dit qu'elle était hautaine et c'était vrai: le menton levé, les sourcils froncés, tout concordait!

— Vous êtes Mr. Parker Pyne? Asseyez-vous là?

Elle montrait une pile de coussins et une belle émeraude ancienne, qui devait valoir une fortune brillait à son doigt.

Le détective se laissa tomber sur les coussins
car un homme de sa corpulence ne s'assied pas
élégamment à terre.

Un serviteur apporta du café. Parker Pyne
prit une tasse et y goûta avec plaisir.

La maîtresse du logis avait acquis les allures
nonchalantes de l'Islam; elle ne dit rien et
savoura le breuvage, les yeux mi-clos. Puis elle
demanda:

— Donc, vous venez en aide aux personnes
tristes? C'est du moins, ce que prétend votre
annonce.

— En effet.

— Pourquoi me l'avez-vous envoyée? Est-ce
un moyen de travailler en voyage?

Sa voix était blessante mais son interlocuteur
n'en tint pas compte et répondit:

— Oh! non. Quand je voyage, je veux oublier
les affaires.

— Alors, pourquoi m'avoir écrit?

— Parce que j'ai des raisons de croire... que
vous souffrez.

Un silence tomba et le détective se demanda
comment elle allait réagir.

Elle réfléchit un instant puis se mit à rire.

— Je suppose que vous vous imaginez
qu'une personne vivant comme moi, loin de sa
patrie, de ses concitoyens, s'est exilée par suite
d'un chagrin ou d'une désillusion? Comment
pourriez-vous comprendre? En Angleterre,

j'étais un poisson hors de l'eau... Ici, je deviens moi-même car j'ai l'âme orientale. J'aime cette réclusion. Sans doute, ne le comprenez-vous pas? Je dois vous sembler... (elle hésita un instant) folle!

— Vous n'êtes pas folle, répondit-il nettement.

Elle le dévisagea.

— Pourtant, c'est bien ce qu'on dit, n'est-ce pas? Les imbéciles! Je suis parfaitement heureuse.

— Cependant, vous m'avez dit de venir.

— J'avoue avoir été curieuse de vous voir... Je ne veux pas retourner en Angleterre. Toutefois, j'aimerais savoir ce qu'il se passe dans...

— Dans votre ancien milieu?

Elle acquiesça d'un signe et Parker Pyne se mit à parler: tout d'abord, sa voix fut calme, rassurante puis s'éleva un peu tandis qu'il appuyait sur certains détails.

Il décrivit Londres, les bavardages de la haute société, les faits et gestes des personnalités connues, les nouveaux restaurants et clubs de nuit, les courses, les chasses, les scandales mondains. Il parla des modes de Paris, des modestes magasins où l'on pouvait faire d'excellentes affaires. Il fit une chronique du théâtre, du cinéma, raconta comment les faubourgs se développaient, énuméra les jardins, puis en vint à décrire la partie plus ouvrière de la ville, l'affluence autour des tramways et des autobus à l'heure où les travailleurs regagnent leurs petites demeures et brossa un tableau de la vie familiale anglaise.

Son exposé fut magistral et documenté à l'extrême. Lady Esther avait baissé la tête et abandonné son attitude arrogante. Les larmes avaient commencé à couler sur ses joues et, lorsque son interlocuteur se tut, elle sanglotait.

Parker Pyne garda le silence et la contempla de l'air satisfait d'un maître qui s'est livré à une expérience et en constate la réussite.

Elle leva enfin la tête et demanda avec amertume:

— Voilà! Etes-vous content?

— Je le crois!

— Comment puis-je supporter cette vie? Ne jamais sortir, ne plus jamais revoir... personne?

Elle se ressaisit et s'écria avec fureur:

— N'allez-vous pas me demander pourquoi, puisque je le désire, je ne retourne pas là-bas?

— Non, dit-il, car il n'est pas facile pour vous d'en faire l'aveu.

Elle parut effrayée pour la première fois.

— Savez-vous pourquoi?

— Je crois le savoir.

— Vous devez vous tromper et vous ne pouvez deviner.

— Je ne devine jamais. J'observe... et je classe.

— Vous ne pouvez rien savoir à mon sujet.

— Il va me falloir vous convaincre. Quand vous êtes venue ici, vous avez, je crois, emprunté la nouvelle ligne aérienne à partir de Bagdad.

— Oui.

— Votre pilote, le jeune Schlagal est, ensuite, venu vous voir?

— Oui...

Le mot fut prononcé plus doucement.

— Vous aviez une amie ou une femme de service qui... est morte.

La voix du détective était devenue sèche, accusatrice.

— Une demoiselle de compagnie.

— Qui se nommait?

— Muriel King.

— L'aimiez-vous?

— Que signifie... (Elle se reprit et dit avec hauteur:) Elle m'était utile.

— Sa mort vous a-t-elle peinée?

— Moi... évidemment. Voyons, Monsieur, à quoi servent ces questions?

Elle parlait avec colère et continua sans attendre de réponse:

— Vous avez été fort aimable de venir. Mais je suis un peu fatiguée. Si vous voulez me dire combien je vous dois...

Parker Pyne ne bougea et ne parut pas vexé; il reprit son interrogatoire:

— Depuis cette mort, Herr Schlagal n'est plus venu vous voir. S'il se présentait, le recevriez-vous?

— Certainement pas.

— Evidemment, murmura le détective, vous ne pouvez agir autrement.

L'arrogance dont elle faisait preuve s'atténua un peu et elle dit avec hésitation:

— Je... je ne comprends pas.

— Lady Esther, saviez-vous que le jeune Schlagal s'était épris de Muriel King? C'est un garçon sentimental qui ne l'a jamais oubliée.

— Vraiment? balbutia-t-elle.

— Comment était-elle?

— Que voulez-vous dire? Je l'ignore.

— Pourtant, vous avez dû la regarder...

— Oh! vous parlez de sa personne! Elle n'était pas mal.

— Vous étiez du même âge?

— A peu près... Pourquoi croyez-vous que... que Schlagal l'aimait?

— Parce qu'il me l'a avoué nettement. Ainsi que je le disais, il est très sentimental et il a été soulagé de se confier à moi; la mort de cette jeune fille l'a bouleversé...

Lady Esther se leva d'un bond:

— Supposez-vous que je l'ai assassinée?

Parker Pyne resta assis.

— Non, ma chère enfant. Je suis convaincu du contraire; par conséquent, plus vite vous renoncerez à cette comédie et rentrerez chez vous, mieux cela vaudra.

— Pourquoi parlez-vous de comédie?

— En réalité, vous avez perdu la tête, car vous avez craint d'être accusée du meurtre de lady Esther.

La jeune fille sursauta.

— Car vous n'êtes pas lady Esther. Je le savais avant de venir, mais je vous ai mise à l'épreuve pour m'en assurer...

Il sourit, redevint aimable et continua:

— Pendant que je discourais tout à l'heure, c'est Muriel King et non Esther Carr qui réagissait: les petits magasins, les cinémas, les faubourgs, la presse des fins de journées vous intéressaient. Par contre, les potins des clubs, les courses, les boîtes de nuit vous laissent froide. Asseyez-vous et dites-moi tout, ajouta-t-il doucement. Vous n'avez pas tué lady Esther mais vous avez eu peur d'être soupçonnée. Pourquoi?

Elle respira fortement, se laissa retomber sur le divan et parla en phrases hachées:

— Il faut... que je parte du début. Je... j'avais peur d'elle... elle était folle... pas complètement, mais elle perdait l'esprit. Elle m'avait amenée

ici... Comme une sotte, je l'avais suivie, car le
voyage me plaisait! Elle avait, à Londres,
essayé de séduire son chauffeur... Car elle s'en-
tichait de tous les hommes... Comme il l'a
repoussée, cela a fait scandale et ses relations
se sont moquées d'elle... Alors, elle a quitté sa
famille et nous sommes parties... Elle cherchait
à sauver la face et comptait rentrer au bout de
quelque temps. Mais elle devenait de plus en
plus excentrique, puis, quand le pilote est venu
me voir, elle m'a prise en haine, a été terrible,
m'a juré que je ne rentrerais jamais en Angleterre parce que je n'étais qu'une esclave
et qu'elle avait droit de vie et de mort sur
moi!

Parker Pyne acquiesça car il comprenait:
lady Esther était peu à peu devenue folle comme
les autres déments de sa famille et la pauvre
fille inexpérimentée avait ajouté foi à ses
menaces. Elle reprenait:

— Un jour, je me suis révoltée! Je lui ai
déclaré que j'étais plus robuste qu'elle et que
je saurais me défendre... Elle a eu peur, a
reculé... et elle est tombée à la renverse...

Muriel se cacha le visage entre les mains.

— Et puis? insista Parker Pyne.

— J'ai perdu courage, cru qu'on dirait que je
l'avais poussée et qu'on me jetterait dans une
affreuse prison ici...

Ses lèvres tremblaient et son interlocuteur

comprit qu'elle avait été submergée par une
indomptable panique. Elle acheva:

— Je savais qu'un nouveau Consul anglais,
qui ne nous connaissait pas venait d'arriver.
L'autre était mort et cela m'a suggéré une idée.
Aux yeux des domestiques, nous étions deux
Anglaises folles, sans plus. Je leur ai donné de
l'argent et les ai envoyés chercher le Consul.
Quand il est arrivé, j'avais au doigt la bague
de lady Esther et je l'ai reçu comme elle l'eût
fait. Il s'est montré fort aimable et a tout
arrangé. Personne n'avait de doute...

Parker Pyne comprenait que le nom de lady
Esther Carr avait du prestige, toute déséquili-
brée que pût être celle qui le portait. Muriel
ajoutait:

— Ensuite, j'ai regretté ma conduite, car j'ai
compris que je m'étais affolée. J'étais condamnée à rester ici. Si j'avouais la vérité, je passe-
rais sûrement pour une meutrière. Oh! Monsieur, que vais-je devenir?

Parker Pyne se leva aussi vite que son embon-
point le lui permit.

— Ma chère enfant, vous allez m'accompagner chez le Consul, qui est un homme charmant. Certes, vous aurez à subir des formalités
pénibles et tout ne sera pas facile; mais vous
ne serez pas condamnée pour assassinat. Comment le plateau a-t-il été trouvé auprès du
corps?

— C'est moi qui l'ai jeté... en pensant qu'il paraîtrait normal qu'il ait été entre mes mains. Etait-ce bête?

— Non, au contraire. J'avoue même que je m'étais, avant de vous voir, demandé si vous n'aviez pas précipité lady Esther dans le vide. J'ai compris, ensuite, que vous seriez toujours incapable de tuer quelqu'un.

— Faute de courage?

— Non, parce que vos réflexes seraient autres. Voulez-vous que nous partions? Vous allez avoir un mauvais moment à passer mais je vous aiderai... ensuite, vous partirez pour Streatham Hill... C'est bien dans ce quartier qu'habite votre famille? Je l'ai supposé en voyant la contraction de vos traits quand j'ai parlé d'un certain autobus... Venez-vous, ma petite?

Elle recula.

— Personne ne me croira. Sa famille ne voudra pas admettre qu'elle ait pu se conduire ainsi!

— Laissez-moi faire. Il se trouve que je connais ses antécédents; ne soyez pas poltronne et souvenez-vous qu'il y a, dans Téhéran, un brave garçon qui se désespère... Il faudra nous arranger pour que ce soit son avion qui vous ramène à Bagdad.

La jeune fille rougit, sourit et dit:

— Je suis prête... (Puis, tandis qu'elle se diri-

geait vers la porte, elle demanda:) Vous m'avez
déclaré avoir su avant de me voir que je n'étais
pas lady Esther. Pourquoi?

— Grâce à la statistique!

— La statistique?

— Oui: lord et lady Micheldever avaient
tous deux les yeux bleus. Quand le Consul m'a
parlé des yeux *noirs* flamboyants de leur fille,
j'ai compris qu'il y avait erreur. Des époux aux
yeux bruns peuvent avoir un enfant aux yeux
bleus, mais le contraire est impossible. C'est un
fait scientifiquement admis.

— Vous êtes merveilleux! s'écria Muriel
King.

FIN

ACHEVÉ D'IMPRIMER LE
25 OCTOBRE 1971 SUR LES
PRESSES DE L'IMPRIMERIE
BUSSIÈRE, SAINT-AMAND (CHER)

— N° d'impression : 1369. —
Dépôt légal : 2e trimestre 1971.
Imprimé en France